Joachim Ma

Maxi »Tippkick« Maximilian

Joachim Masannek, geboren 1960, studierte Germanistik und Philosophie sowie an der Hochschule für Film und Fernsehen. Er arbeitete bereits als Kameramann, Ausstatter und Drehbuchautor für Film-, TV- und Studioproduktionen. Daneben ist er Vater der beiden *Wilde Kerle*-Mitglieder Marlon und Leon und Regisseur der Filmabenteuer um die Wilden Kicker. Mehr Informationen zu den *Wilden Fußballkerlen* unter www.diewildenkerle.de. Bei dtv junior sind von den *Wilden Fußballkerlen* die Bände 1–10 erschienen:
siehe unter www.dtvjunior.de.

Joachim Masannek

Die Wilden Fußballkerle

Band 7

Maxi »Tippkick« Maximilian

Mit Illustrationen von Jan Birck

Deutscher Taschenbuch Verlag

Ungekürzte Ausgabe
In neuer Rechtschreibung
5. Auflage Mai 2006
2005 Deutscher Taschenbuch Verlag GmbH & Co. KG,
München
www.dtvjunior.de
© 2003 Baumhaus Buchverlag GmbH, Leipzig und
Frankfurt am Main

TM & © 2001 dreamotion media GmbH
Umschlagkonzept: Balk & Brumshagen
Umschlaggestaltung nach einer Idee von Jutta Hohl
Gesetzt aus der Plantin 12/15˙
Gesamtherstellung: Druckerei C. H. Beck, Nördlingen
Printed in Germany
ISBN-13: 978-3-423-70892-0
ISBN-10: 3-423-70892-1

Inhalt

Silvestermitternachts-Schock

»Kommt schon! Worauf wartet ihr noch? Bringen wir's hinter uns!«, forderte Vanessa, die Unerschrockene, und streckte ihre Hand nach dem schwarzen Ball aus.

Ihr Satz erfüllte die Halle von Camelot, bevor er durch die Ritzen in den Bretterwänden in die Neujahrskälte entwich. Danach war es still.

Für die anderen war es still.

Absolut mucksmäuschen-totenstill.

Doch ich begann jetzt erst zu hören.

Ich hörte den angehaltenen Atem von Felix, dem Wirbelwind, und wie sich das Asthma in seiner Brust dagegen wehrte.

Ich hörte das Rascheln von Vanessas Kapuzensweatshirt. So zitterten ihre Finger.

Ich hörte, wie das Herz von Leon, dem Slalomdribbler, bis hoch in seinen Hals schlug. Und ich hörte das Zähneknirschen von Fabi, dem schnellsten Rechtsaußen der Welt, als er als Letzter die Hand über dem Amboss erhob.

Dort, auf dem alten Holzfass in unserer Mitte, lag der schwarze Ball.

Der *Wilde Kerle*-Fußball. Der Ball, der Raban, dem Helden, erst in dieser Nacht von den Geistern des Fußballorakels geschenkt worden war.

Einem Orakel, das nur alle 24 Jahre stattfinden konnte. Im alten 60er Stadion. In der Silvesternacht kurz nach Mitternacht – so wie heute. Und das auch nur dann, wenn in den Dezembernächten zuvor die Glühwürmchen tanzten.

Schlotterbein und Tarzanschrei! Wir wollten es immer noch nicht richtig glauben. Aber es war wirklich passiert. Wir hatten es mit unseren eigenen Augen gesehen. Heute Nacht, vor knapp einer Stunde, hatten die Geister der Weltmeisterschaftself von 1974 doch tatsächlich mit Raban Fußball gespielt. Zuerst hatten sie mit ihm gespielt und dann hatten sie über sein Schicksal entschieden:

Raban, der Held, mit den roten Haaren und der Coca-Cola-Glas-Brille, war nicht gut genug. Er war nicht gut genug, um ein Fußballprofi zu werden.

Schlotterbein und Tarzanschrei! Wie froh waren wir alle in diesem Moment, dass das Fußballorakel nicht über uns entschieden hatte. Aber Raban war nicht umsonst unser Held. Er hatte das längst schon gewusst und deshalb war er für die neue Aufgabe mehr als bereit. Die Aufgabe, die ihm das Orakel auferlegt hatte. So wie Willi vor 24 Jahren in einer ähnlichen Glühwürmchennacht. Da hatte das Orakel ihm prophezeit, er würde einmal der beste Trainer der Welt und er würde die wildeste Mannschaft trainieren: uns!

Ja, und deshalb war es jetzt absolut mucksmäuschen-totenstill.

Nur für mich hörten die Geräusche nicht auf. Ich, Maxi »Tippkick« Maximilian, begann in die Stille zu hören.

Ich hörte das Kratzen der Zehen von Jojo, der

mit der Sonne tanzt, auf dem Fußbett seiner geflickten Sandalen.

Ich hörte, wie die Stirn von Marlon, der Nummer 10, Leons um ein Jahr älteren Bruder, Gedankenfalten schlug, als stürzten Sturmwellen gegen die Bretterwände von Camelot an.

Doch einer nach dem anderen streckten wir unsere rechte Hand aus. Es britzelte wie gerade gezündete Wunderkerzen, als sich unsere Finger über dem Amboss berührten.

Ja, und dann berührten wir alle den Ball.

Den *Wilde Kerle*-Ball!

WWWUUUUSCHSCH!

»Wwuuschsch!«, spürten wir seine schwarze, runde Magie, und dann knackte Rabans trockene

Zunge, als sie sich vom Gaumen losriss. Räuspernd und stotternd beschwor er seine neugeborene Aufgabe, seine Vision, die ab jetzt auch unsere war.

Ja, und deshalb stellten wir uns alle an seine Seite.

Schlotterbein und Tarzanschrei! Mit immer kräftiger werdenden Stimmen fielen wir in das Versprechen mit ein:

»Wir, die *Wilden Kerle e.W.* aus dem *Teufelstopf* in Grünwald, wir sind bei der Fußballweltmeisterschaft im Jahr 2006 mit von der Partie. Das versprechen sich: Leon, der Slalomdribbler; Marlon, die Nummer 10; Fabi, der schnellste Rechtsaußen der Welt; Rocce, der Zauberer; Raban, der Held; Jojo, der mit der Sonne tanzt; Joschka, die siebte Kavallerie; Juli »Huckleberry« Fort Knox, die Viererkette in einer Person; Maxi »Tippkick« Maximilian, der Mann mit dem härtesten Schuss auf der Welt; Vanessa, die Unerschrockene; Deniz, die Lokomotive; Markus, der Unbezwingbare, und Felix, der Wirbelwind. Wir versprechen uns das, heute und hier auf Camelot, am 1. Januar 2003.«

Raah! Das tat gut. Unsere Stimmen klangen sicher und fest und wir hielten unsere Köpfe erhoben. Auch ich sprach den Schwur. Ich riss den Mund auf, so weit ich konnte. Mit den Lippen formte ich jedes Wort ganz genau. Doch sosehr ich mich auch bemühte, ich brachte keinen Laut, ich brachte noch nicht einmal ein Flüstern oder Zischen heraus!

Schlotterbein und Tarzanschrei! Das Blut schoss mir in den Kopf, und das Feuerwerk, das urplötzlich losbrach, hörte ich wie durch Watte hindurch.

Draußen vor Camelot, dem dreistöckigen Baumhaus, der Zentrale der *Wilden Fußballkerle e. W.*, hatten sich unsere Eltern versammelt, um mit uns zusammen das neue Jahr zu begrüßen. Willi, der beste Trainer der Welt, schoss eine Rakete nach der anderen in den Himmel empor, und während diese wie Sternschnuppen über uns explodierten, wünschten wir uns alle viel Glück. Das heißt, ich nickte und lächelte nur. Aber etwas anderes wurde von mir, von Maxi, auch nicht erwartet.

Maxi »Tippkick« Maximilian, der Mann mit dem härtesten Schuss auf der Welt, redete nicht. Selbst am Telefon sprach Maxi kein Wort. Das wussten alle. Und deshalb fiel auch niemandem auf, dass ich plötzlich tatsächlich stumm geworden war.

Auch mein Vater merkte das nicht. Er nahm mich in den Arm. Ich spürte sein Hemd an der Wange und ich atmete seinen Geruch. Ich mochte diesen Geruch. Er roch nach Adlerhorst und nach

Ritterburg. Doch dieser Geruch war mir auf einmal fremd. Ich bekam Angst. Sosehr ich diesen Ort mochte, hatte ich urplötzlich Angst, dass ich ihn für immer verlieren könnte. Deshalb schaute ich meinem Vater auch nicht in die Augen. Das konnte ich nicht. Das konnte ich bei niemandem tun. Ich hielt ihn nur fest und schaute beschämt auf den Boden. Ja, und mein Vater strich mir wie immer durchs Haar.

»Max«, sagte er und klopfte mir auf die Schulter.

Dann gingen wir zusammen nach Hause. In die piekfeine Alte Allee Nr. 1. Doch obwohl mir der Silvesterschwur bis in mein Zimmer nachhallte, ahnte irgendetwas in mir: Maxi »Tippkick« Maximilian! Für dich ist jetzt alles vorbei.

Der stumme Rebell

In den nächsten Tagen war es nur still.

Wisst ihr, wie still es ist, wenn man nicht redet? Wenn man urplötzlich so stumm ist wie ein glubschäugiger Fisch?

Schneeflocken-schmelzen-auf-Fensterglas-still.

Ja, so still. Es war Winter. An Fußball war gar nicht zu denken. Der *Teufelstopf*, der Hexenkessel aller Hexenkessel, das Stadion der *Wilden Fußballkerle e. W.*, lag unter einer buckligen Schicht aus braun-schwarzem Eis. Der Traum von der Weltmeisterschaft wurde zum Witz. Ja, und die Weihnachtsferien wollten nicht enden.

In der Nacht hieß die Stille dann Windschabt-über-Schneeharsch-auf-Dach. Oder: Einsamkeits-Eiszapfen-wachsen. Fensterkreuz-wandert-vor-Autoscheinwerfer-über-die-Wand. Oder: Der-Computer-meines-Vaters-im-Arbeitszimmer-geht-um-halb-drei-in-der-Früh-endlich-aus.

Ich lag in meinem Bett. Ich werde es niemals vergessen. Ich konnte nicht schlafen. Es war Punkt

drei Uhr in der Früh. Da ging es los! Ganz tief und ganz leise in meiner Brust. Wie der Frühlingswind in einem Haus, in dem man die Fenster aufreißt, blies es durch meinen Körper hindurch bis in die Zehenspitzen hinein. Das war ein schönes Gefühl. So wie zum ersten Mal barfuß laufen im Sommer.

Wir, die *Wilden Fußballkerle*, sind auf Weltmeisterschaftskurs, lachte ein Gedanke in mir. Doch dann machte es einen Ruck. Der Frühlingswind böte auf. Er wurde eiskalt und zum Sturm. Meine Gelenke rosteten ein, als gehörten sie nicht mehr mir, sondern einer uralten Rüstung, und ganz tief aus meinem Herzen flüsterte eine Stimme zu mir herauf: »Jetzt tu doch was, Maxi! Los, Maxi, los!«

Aber was? Schlotterbein und Tarzanschrei! Was sollte ich tun?

Dann waren die Ferien endlich vorbei. Gott sei Dank! Es war noch dunkel und kalt, doch der Pausenhof war schon geräumt. Wir kamen als Erste und wie immer alle gleichzeitig an. Aus der Nacht tauchten wir auf. Die schwarzen Kapuzen unserer Sweatshirts tief in der Stirn, galoppierten wir auf unseren Rädern in den Fahrradunterstand ein. Unser Atem dampfte wie der einer wilden Büffelherde in der Prärie. Dann ging alles blitzschnell. Leon, der Slalomdribbler, zog einen Tennisball aus der Tasche hervor. Fabi, Marlon, Felix und ich stellten unsere Schulranzen auf. Das waren die Tore. Das Spielfeld reichte über den Pausenhof, und als die anderen Schulkinder eintrafen, störten sie uns wie die Blumenkästen und das Kunstwerk in der Hofmitte. Sie waren halt da und wurden umspielt.

Fünf gegen fünf. Das waren die Teams. Jojo, Markus und Deniz gingen auf andere Schulen, aber sonst waren die *Wilden Fußballkerle* komplett. Marlon, die Nummer 10, stoppte den Tennisball mit der Brust und passte ihn blind und ansatzlos weiter zu Rocce. Der brasilianische Zauberer begrüßte die Filzkugel lässig mit links, stieg mit rechts über sie drüber, tunnelte Felix, den Wirbel-

wind, wieder mit links und lupfte den Ball mit
rechts über Juli »Huckleberry« Fort Knox millimetergenau Richtung Leon. Der Torjäger zog
schnörkellos ab. Mit dem Außenriss drehte er den
Ball um die sich reckende und streckende Vanessa
herum. Die Unerschrockene schoss in die linke
Torecke hinab, als spränge sie in einen beheizten
Pool. Doch sie konnte den Ball nicht erreichen.
Sie schlug auf dem gefrorenen Pausenhofboden
auf und sah hilflos zu, wie die Kugel gegen den
»Innenpfosten« des Schulranzen-Tores krachte.
Dort eierte der gelbe Ball auf der Stelle, aber dann
drehte er sich langsam aber sicher auf die Torlinie
zu. Fabi riss schon die Arme hoch in die Luft.

»Heiliger Muckefuck! Leon, was für ein Tor!«

Da tauchte Joschka, die siebte Kavallerie, aus
dem Nichts auf. Im sensationellen Grätschentief-
flug erwischte er in allerletzter Sekunde das Filz

und katapultierte es im hohen Bogen auf das Spielfeld zurück. Und dort wartete Raban, der Held.

»Ich hab ihn! Ich hab ihn!«, rief er und lief rückwärts vor der aus dem Himmel auf ihn zuschießenden Kugel davon.

»Ich hab ihn! Ich hab ihn!«, rief er noch mal.

Da stand ich neben ihm in der Luft. Mit einem Kung-Fu-Scherenschlag holte ich Schwung und schoss den Ball aus der Höhe von einem Meter fünfunddreißig volley aufs Tor.

»WUUUUHH-SCHENNNNG!«, machte es und dann »BAMM!«.

Der Ball schlug neben der reaktionslosen Vanessa ins Tor, donnerte gegen die Pausenhofmauer, die unser Netz war, und prallte »Bahoiiing!« von ihr ab. »Daschepperdong!«, krachte die Kugel gegen die Mülltonnen in der Ecke und schoss dann auf das größte Fenster des Schulhauses zu: das Lehrerzimmerfenster.

»Au Backe!«, zischte Fabi und wischte sich den Rotz aus dem Gesicht. »Weißt du was? Das war ein Jahrhunderttor, Maxi. Nur leider nutzt es dir nichts.«

In diesem Moment schlug der Ball auf dem Fensterglas auf. Die Scheibe erzitterte. Es war ein dunkler, mächtiger, melodischer Klang und mit zusammengepressten Zähnen wartete ich auf das ihm folgende viel hellere Klirren. Doch das Klirren fiel aus. Die Mülltonnen hatten dem Schuss etwas von seiner Kraft genommen. Das Fenster hielt stand, und bevor einer der Lehrer in seinem Rahmen erschien, um den Übeltäter zu finden, ertönte der Schulgong und wir stürzten ins Schulhaus hinein.

»Eins zu null! Wir haben gewonnen!«, triumphierte Rocce. »Maxi, was für ein Tor!«

Ich strahlte mein berühmtes lautloses, grinsendes Lächeln. Schlotterbein und Tarzanschrei! Ja, so liebte ich es. So ging es mir gut und so wünschte ich mir, dass es mein Leben lang blieb. Doch fünf Minuten später stand ich vor der Klasse neben dem Lehrer und starrte durch meine Freunde hindurch gegen die Wand. Sie sollten alle ein Neujahrsgedicht von mir hören. Das hatte Herr Hochmuth, unser Lehrer, bestimmt. Doch aus meinem Mund kam kein einziger Laut.

Meine Freunde grinsten erleichtert. Das sah ich aus den Augenwinkeln heraus. Sie hassten dieses

Gedicht genauso wie ich und sie bewunderten meinen Mut, mich gegen das Aufsagen der blöden Verse zu wehren. Wie so oft hielten sie mein Schweigen für absolut wild. Sie schlossen Wetten darüber ab, wie lange ich dieses Mal durchhalten würde. Drei Minuten hatte ich schon geschafft. Da schnalzte Leon ehrfurchtsvoll mit der Zunge. Ich hatte die von Fabi gesetzte Zeit übertroffen. Leon hatte die Wette gewonnen und sein Grinsen steckte mich an. Auf meinem Gesicht entstand wieder mein berühmtes lautloses, grinsendes Lächeln. Das Lächeln des Mannes mit dem härtesten Schuss auf der Welt.

Nur Herr Hochmuth zollte dieser Leistung keinen Respekt. »Was ist? Ich warte!«, ermahnte er mich jetzt schon zum dritten Mal. Seine Augen wurden zu leblosen Schlitzen und er zupfte immer nervöser an seinen Brauen herum. Das war, das wussten wir alle, ein unheilvoller Countdown.

»Maxi!«, zischte Raban erschrocken.

»Maxi! Das war wild genug!«, rief Vanessa.

Jetzt wurde es höchste Eisenbahn für das Gedicht. Ja, und bisher hatte ich es auch immer geschafft. Ich hatte mich überwunden und mit zaghafter, zitternder Stimme die Verse gesagt. Aber jetzt, nach dem Silvestermitternachts-Schock, zitterten nur meine Lippen.

»Ich hör nichts!«, drohte mein Lehrer. Er beugte sich so weit zu mir herab, dass ich mein Spiegelbild in seinen Pupillen erkennen konnte.

»Ich hör nichts!«, wiederholte Herr Hochmuth. »Hast du das Gedicht nicht gelernt?«

Ich schüttelte energisch den Kopf. Das war nicht wahr. Ich konnte es sogar rückwärts aufsagen.

»Ach ja? Und warum sagst du dann nichts?« Das Gesicht meines Lehrers verzog sich zu einem bösen, spöttischen Grinsen. »Warum kicherst und grienst du dann nur blöd herum und machst dich über mich lustig? He? Ich rede mit dir! Hast du etwa deine Zunge verschluckt? So ganz aus Versehen, weil du sie sowieso nie vermisst? Oder bis du über Nacht ganz klammheimlich verstummt?«

Ich schaute ihn an und wollte schon nicken, da zückte Herr Hochmuth sein Buch.

»Danke. Maximilian. Setzen. Das war 'ne 6.«

Er beobachtete mich über die Gläser seiner Lesebrille hinweg, wartete, bis ich mich umgedreht hatte, und schoss den nächsten Satz in meinen Rücken hinein.

»Und natürlich folgt ein Brief an den Vater!«

Ich wirbelte erschrocken herum.

»Aha. Zumindest das zeigt noch Wirkung!«, grinste Herr Hochmuth zufrieden. »Okay. Ich vergesse den Brief. Aber nur, wenn du dich auf der Stelle bei mir entschuldigst und das Gedicht aufsagen kannst.«

Ich ballte die Fäuste und schaute meinem Lehrer direkt ins Gesicht. Für ein paar Sekundenbruchteile schaffte ich das. Dann schaute ich weg und versteckte die Tränen.

»Mhm. Das tut mir Leid«, seufzte Herr Hochmuth scheinheilig und setzte den Unterricht fort.

Das erste Scharmützel

Der Schulgong befreite uns alle. Der erste Schultag im neuen Jahr war geschafft. Wir rannten hinaus in den Flur, um unsere Jacken zu holen.

»Mach dir nichts draus!«, versuchte mich Leon zu trösten. »Den Brief schreibt der nie!«

»Ne. Dafür ist der Hochmuth zu faul!«, pflichtete Fabi ihm bei. Doch dann verfinsterte sich sein Gesicht.

»Heiliger Muckefuck!«, zischte er, als hätte man ihm den Stöpsel aus dem Hintern gezogen. Und »Kacke verdammte!« raunte ihm Leon als Echo gleich hinterher.

Hinter uns stand Herr Hochmuth persönlich. Die gekreuzten Arme drückten die Aktentasche vor seine Brust wie einen Schutzschild von intergalaktischer Stärke. Leons und Fabis Flüche verpufften an ihm wie Wassertropfen über einem Vulkan.

»Pechschwefliges Rübenkraut und Hottentotten-Alptraumnacht!«, flüsterte Raban, der Held.

So groß war die Angst, dass er sich an Hochmuth verbrannte.

Dann war es still.

Hochmuths-Brille-rutscht-auf-schweißnassem-Nasenrücken-drei-Millimeter-Richtung-Nasen-spitze-hinab.

So still war es.

Dann schlug ich zu.

Ich wusste nicht, was ich tat. Aber meine Faust wusste es. Urplötzlich donnerte sie gegen den Spind.

DUMPF-SCHEPPER-WONNNNNGG!

Die Schule erbebte wie ein gigantischer Gong. Jedes Lebewesen blieb stehen. Selbst die Winter-fliegen stoppten mitten im Flug und starrten mich an. Staubkörnchen landeten auf ihren Nasen und ich dachte schon: »Jetzt gleich, jetzt niesen sie.« Doch es war nur Vanessa, die neben mir stand.

»Schittehhh!«, entwich es ihr und dann kaute sie weiter auf einer Strähne ihrer rotbraunen Zotteln.

»Ja. Kreuzkümmel und Hühnerkacke! Da hast du Recht«, hauchte Juli »Huckleberry« Fort Knox.

Er dachte es mehr, als dass er's sagte, denn Hochmuths Kopf schwoll jetzt an. Er wurde knall-rot wie eine Tomate, die einen Sonnenbrand hat. So fixierte er mich und nagelte mich mit seinem Blick an die Wand. Ich konnte mich kaum noch bewegen. Aber ich schaute diesmal nicht weg. Diesmal hielt ich Hochmuths Blick stand. Ich weiß nicht warum. Ich hatte fürchterliche Angst. Doch irgendetwas in mir war stärker. Auf jeden Fall für einen kurzen Moment. Für einen Atemzug oder zwei. Dann war ich fest davon überzeugt, dass die Tomate gleich explodiert.

SPLÄSCH-SCH. DUSCH-SCH. DONG-PLATSCH.

So würde sie uns unter ihrer Ketschup-Sturmflut begraben. Deshalb senkte ich meinen Blick. Nur deshalb, und genau das war Hochmuths Triumph.

»Darüber wird sich dein Vater sicherlich gern mit dir unterhalten«, schnaubte er und ging ab.

Seine Schuhe knarzten über die Fliesen des Flurs, und erst als die Tür des Lehrerzimmers hinter ihm zufiel, erwachten wir aus unserem Bann.

Die Winterfliegen torkelten durch die Luft müde davon. Dann fluchte Leon.

»Kacke verdammte! Was war'n das?«

»Ja, heiliger Muckefuck!«, fauchte Fabi und Juli spuckte seinen Kloß aus dem Hals.

»Kreuzhuhn und Kümmelkack! Maxi! Was hast du gemacht?«

Rocce, der Sohn des brasilianischen Fußballgotts der *Bayern*, bekreuzigte sich und hauchte ein düsteres »Santa Panther!«.

Felix pfiff ein leises »Verflixt!«.

»Schitteh!«, zischte Vanessa und mit »Segelohrenbruchpilot!« erfand Raban, der Held, sein neuestes Schimpfwort.

Dann schüttelte er den Kopf.

»Junge, Junge, oh Mann«, brummte er und wusste nichts mehr zu sagen. Darum schlug er mir mit der Hand auf die Schulter und ohne ein weiteres Wort gingen wir alle durch den Flur und durch das große Eingangsportal. Erst dort, auf den Stufen, die zum Pausenhof führten, hielten wir an.

Miniatur-Killerroboter
und ein schwarzes Loch

Dort auf den Stufen standen noch Joschka, die siebte Kavallerie, Julis jüngerer Bruder, der in die erste Klasse ging, und Marlon, die Nummer 10. Er war der Größte von uns, ein Fünftklässler, Leons um ein Jahr älterer Bruder. Und genauso wie er schauten wir jetzt alle in den Januarhimmel hinauf.

Dort, im endlos stählernen Blau, befand sich ein Loch. Kreisrund und schwarz, und niemand außer uns schien es zu sehen. Die anderen Kinder liefen einfach nach Haus. Erst als der Schulhof sich leerte, konnten wir Markus, den *Unbezwingbaren*, Jojo, der mit der Sonne tanzt, und Deniz, die Lokomotive, entdecken. Obwohl sie auf andere Schulen gingen, waren sie alle gekommen. Das schwarze Loch hatte sie hergelockt, selbst aus den entferntesten Teilen der Stadt.

»Dampfender Teufelsdreck!«, presste Markus zwischen seinen Lippen hervor.

»Beim flie-ha-hiegenden Orientteppich!«, grinste Deniz, der Türke, mit dem knallroten Irokesenhaarschnitt verlegen, und Jojo aus dem Waisenhaus stand einfach nur da.

Das schwarze Loch über uns war so groß wie die untergehende Sonne.

Es schwankte leicht hin und her und dann begann es sich langsam zu drehen. Langsam, ganz langsam lasen wir die Schrift auf der glänzenden Haut: »Die *Wilden Fußballkerle*« stand da geschrieben und dazwischen grinste das orange Monster. Das *Wilde Kerle*-Monster, das Marlon entworfen hatte, als es darum ging, die *Bayern* zu schlagen.

»Hey! Was steht ihr da noch herum!«, zerriss eine Stimme die Stille.

Wir fuhren erschrocken zusammen. Doch dann lachten wir. Diese Stimme gehörte nicht unserem Lehrer. Sie gehörte Willi, dem besten Trainer der Welt.

Und genau dieser Trainer stand auf dem Wellblechdach des Fahrradunterstandes am Eingang des Pausenhofs und spannte jetzt seelenruhig seine Schleuder.

»Ich hab mir schon Sorgen um euch gemacht!«, rief er, zielte noch einmal und schoss.

Ein Sirren erfüllte die Luft. Ein Zischen und Pfeifen. Dann machte es »BÄNG!«.

Ein ohrenbetäubendes BÄNG!. Und mit diesem BÄNG! zerplatzte der schwarze Ballon. Ein Schwarm schwarzer Punkte sprengte aus ihm heraus und stürzte sich in die Tiefe.

»Miniatur-Killerroboter!«, schoss es Raban sofort aus dem Mund und dieses Wort war nicht als Schimpfwort gemeint. Er ballte die Fäuste und plusterte sich auf wie ein Maikäfer auf der Flucht.

»Die sind aus einem Labor abgehaun. Oder sie wurden von unseren Feinden geschickt, um uns alle zu lähmen. Rennt alle weg!«

Doch dann machte es dreizehn Mal ganz leise »Black!«. Dreizehn Mal spannten sich orange Plas-

tikfallschirme auf und an ihnen tanzten die schwarzen Punkte auf den Schulhof herab.

»Also dann. Wir sehen uns!«, lachte Willi noch mal und war im nächsten Moment spurlos verschwunden.

Bestimmt war er nur vom Dach des Fahrradunterstandes gehüpft. Aber wer weiß das schon an so einem Tag. Wir rannten über den Pausenhof und fingen die Fallschirme ein. An ihnen hingen schwarze Papphülsen und in jeder von ihnen steckte ein Brief. Ein schwarzer Brief natürlich, beschrieben mit knalloranger Tinte.

»Hey, ihr Winterschläfer und Eisheiligen!«, lasen Vanessa und Marlon.

»Wie bitte? Willi, pass auf, was du sagst!«, schimpfte Rocce, doch Raban fiel ihm ins Wort.

»Pssst! Sei doch mal still: ›Es gibt was zu tun!‹«, las er weiter.

»Ja, etwas aus- und ordentlich Richtiges!«, stotterte Joschka.

»Wichtiges, Klugscheißer. Da steht ›außerordentlich Wichtiges‹!«, korrigierte ihn Juli.

»Das ist doch egal!«, konterte Joschka. »Richtig ist wichtig! Oder hab ich da Recht?«

Juli suchte nach einer passenden Antwort und er wurde von Fabi erlöst: »Also kriecht endlich aus euren Höhlen heraus, habt ihr gehört?‹«

»Und kommt zur Wiese am Fluss! Heute, sobald es dunkel wird. Wir machen ein Lagerfeuer.«, las Felix begeistert weiter.

»Ein wa-has?«, plusterte Deniz mit dem Irokesenhaarschnitt, der die gleiche Coca-Cola-Glas-Brille trug wie Raban, der Held.

»Genau!«, lachte Jojo. »Ein Wa-has im Winter, und das in der Nacht.«

»Bingo. Du hast es gesagt!«, bestätigte Leon, der unser Anführer war, und mit demselben trockenen Ernst las er den letzten Satz vor: »So wie es sich vor einem Kriegspfad gehört.«

Wusch! Zack!

Dieser Satz traf uns wie eine Axt. Jojo starrte auf seine kaputten Sandalen und wir konnten uns vorstellen, wie er heute Nacht fror. Nein, in Wirklichkeit fror er jetzt schon, am helllichten Tag. Genau wie wir alle, und auch euch, da bin ich mir sicher, wird es jetzt kalt. Oder habt ihr es etwa vergessen? Das letzte Mal, als Willi zu uns von Kriegspfad und Büffeljagd sprach? Na, klingelt es jetzt? Das letzte Mal, als er zu uns davon sprach, hat er uns alle gefeuert. Da gab es die *Wilden Kerle* nicht mehr. Und genau das fiel uns jetzt schüttelfrost-zitteraalmäßig wieder ein.

»Was um alles in der Welt hat er vor?«, fragte Felix entgeistert.

»Dampfender Teufelsdreck!«, zischte Markus. »Woher soll ich das denn wissen?«

»Und wenn schon! Wir werden es heute erfahren«, sagte Fabi und verschluckte sich an seinem Mut.

»Ja, Fabi hat Recht!«, bestätigte Leon und hob die Hand zum High Five. »Alles ist gut!«, lachte er, um sich selbst Mut zu machen, doch genau dabei passte er nicht genug auf.

Denn neben ihm stand nicht sein bester Freund Fabi, der Wildeste unter Tausend, der genauso wild war wie er. Nein, neben ihm stand nur ich. Ja, und auch das habt ihr bestimmt schon alle verstanden: Wenn man den Gruß der *Wilden Kerle* nicht schließt, wenn man ihn nicht mit »Solange du wild bist!« erwidert, dann beschwört man ein Unglück herauf. Aber dafür war es jetzt schon zu spät. Ich schlug längst in Leons Hand ein und ich strengte mich fürchterlich an. Das müsst ihr mir wirklich glauben. Ich wollte es wirklich und unbedingt sagen.

»Solange du wild bist!«, schrie es in meinem Kopf. Doch aus meinem Mund kam kein einziger Laut.

Die Bombe tickt

›Sobald es dunkel wird.‹ Schlotterbein und Tarzanschrei! Ich konnte es nicht mehr erwarten. Ich wollte nicht, dass etwas Schlimmes passiert. Doch dunkel wurde es erst um halb sechs. Pünktlich um fünf kam mein Vater von der Arbeit nach Hause und um Viertel nach fünf klingelte das Telefon auf dem Sims in der Diele. Es war Herr Hochmuth persönlich und der hatte es noch eiliger als ich.

»Guten Abend, Herr Maximilian! Es tut mir Leid, dass ich störe. Aber ich hab einen triftigen Grund.«

Ich hörte die Stimme meines Lehrers durch das Telefon aus der Diele die Treppe hinauf durch die geschlossene Tür bis in mein Kinderzimmer hinein. Ja, ja, ich weiß, das ist völlig unmöglich. Selbst wenn mein Vater die Freisprechanlage eingeschaltet hätte, hätte ein normaler Mensch nichts gehört. Denn meine kleine Schwester saß neben mir und sang mit ihren 23 Barbiepuppen alle Songs der No-Angels-CD um die Wette. Das war ein ohrenbetäubender Lärm. Aber wenn man sein Leben lang schweigt, so wie ich, dann hört man halt gut. Dann hört man besser als alle. Ja, ich hörte sogar, wie die Stirn meines Vaters drei Falten schlug: die drei zornigen Falten, die ich nur zu gut kannte und die ihn in den korrekten und knallharten Banker verwandelten, der er jetzt auch immer öfter zu Hause war.

»Einen Moment!«, befahl mein Vater Herrn Hochmuth zu schweigen. Dann rief er nach mir.

»Maxi. Komm sofort her!«

Seine Stimme klang wie dreifach gehärteter Stahl. Jeder Widerspruch wurde von ihr im Voraus enthauptet, geviertelt und in Stücke gehauen. Selbst meine Schwester verstummte.

»Oo-ha!«, sagte sie und wiegte interessiert ihren Kopf. »Das klingt gar nicht nett, findest du nicht? Es klingt eher fett, teuflisch und schwer. Mit einem Schuss Hölle darin. Ja, mit einem starken Schuss. Sehr explosiv!«

Sie nickte zufrieden. Verflixt! Und dann verzog dieses siebenjährige Sprachgenie von einer Schwester ihr Gesicht zu einem hämischen Grinsen, nahm zwei ihrer Barbiepuppen und sang den nächsten No-Angels-Song. Schlotterbein und Tarzanschrei! Zumindest singen konnte sie nicht. Singen und Fußball spielen. Aber was half mir das jetzt? Ich stand auf. Ich ballte die Fäuste. Ich holte mein Herz aus der Hose heraus und band es mir um den Hals. Dann ging ich aus dem Zimmer hinaus auf den Flur. Meine Strümpfe patschten ganz leise über das gewachste Parkett. Die Tür klickte ins Schloss – »ka-lack«. Mein Vater tippte mit dem Zeigefinger ungeduldig gegen den Hörer und am anderen Ende der Leitung holte Herr Hochmuth tief Luft. Gleich würde ihm mein Vater den Startschuss für seine Petzerei erteilen. Mein Herz pochte und donnerte an meinem Hals: »B-Bumm! B-BUMM!« Und mein Atem brauste in meinem Kopf: »SCHHHHHH!« So stellte ich mich auf den Treppenabsatz und schaute zu meinem Vater in die Diele hinab.

»Also, bitte, was ist?«, befahl er in den Hörer hinein.

Herr Hochmuth röchelte erschrocken. Er wäre an der eingeatmeten Luft beinah erstickt. Doch jetzt prasselte die Anklage gegen mich aus ihm heraus wie das Wasser aus einem Feuerwehrschlauch. Nur, dass es kein Wasser war, was Herr Hochmuth verspritzte. Es war Benzin: ».. . ja, und damit verweigert Ihr Sohn nicht nur die Leistung. Er untergräbt auch meinen Respekt. Und, was am schlimmsten ist: er macht sich vor den anderen Jungen zum Clown!«

Das letzte Wort entfachte die Zündschnur im Kopf meines Vaters.

»Ich danke Ihnen«, sagte er nur noch und hängte ein.

Dann hob er langsam den Kopf. Seine Augen griffen wie Traktorstrahlen nach mir. Ich spürte ihre eisernen Zangen, aber ich sah meinen Vater nicht an. Das konnte ich nicht. Ich schaute beschämt auf den Boden und wartete auf den Weltuntergang.

Endlose Sekunden verstrichen. Da vibrierte der Alarm seiner Armbanduhr. Er zerriss die Stille, als wär er der Glockenschlag vom Big Ben. Ich atmete auf. Es war 17 Uhr 20, und das war die Zeit, zu der mein Vater sich jeden Nachmittag ins Esszimmer zurückzog, um Zeitung zu lesen. Für genau 22 Minuten. Danach wurde die E-Mailbox gecheckt und danach die Börse. Erst nach dem Abendessen, zwischen 19 Uhr 43 und 19 Uhr 58, direkt vor der Tagesschau, standen die familiären Angelegenheiten auf seinem Programm. Und genau deshalb hatte mein Vater jetzt keine Zeit.

»Wir sprechen später darüber!«, sagte er, als hätte ich ihn nach dem Wetter gefragt. Doch der Klang seiner Stimme sagte viel mehr. Er sagte: »Das tust du mir nie wieder an!«

Dann ließ er mich stehen.

Ich stand da, als hätte er meine Seele vereist. Ich konnte mich nicht mehr bewegen. Doch sobald er im Esszimmer war und die Tür hinter ihm zuschlug, rannte ich los. Ich hatte keine Zeit zu verlieren und – Gott sei Dank! – hatte ich auch schon zwischen 19 Uhr 43 und 19 Uhr 58 etwas vor. Schuhe, Jacke und Mütze lagen im Badezimmer bereit und nur 43 Sekunden später zwängte ich mich durch das Fenster aufs Garagendach hinaus. Von dort führte der alte Apfelbaum in die Freiheit hinab. Mein Fahrrad lehnte am Stamm. Ich sprang in den Sattel und sprintete los. Ich trampelte mir die Angst aus dem Leib. Fünf Minuten und 43 Sekunden brauchte ich bis zur Wiese am Fluss. Das war Weltrekord!

Winterlagerfeuer

Die anderen *Wilden Kerle* saßen bereits um das Feuer herum. Ich riss mein Fahrrad wie ein Pony auf dem Hinterrad hoch und hielt mit dampfendem Reifen und Atem vor ihnen an. Meine Augen glühten wie Kohlen tief unten im Bauch eines Bergs und mit ihnen fixierte ich Willi. Was hatte er vor? Was sollte mit den *Wilden Fußballkerlen* geschehen? Ich wollte nicht schuld daran sein. Nein, das wollte ich nicht, auch wenn ich den *Wilde Kerle*-Gruß auf dem Pausenhof nicht beantwortet hatte und ich wusste, dass das großes Unglück bedeutet.

Doch Willi ließ sich überhaupt nicht beirren. Seelenruhig verteilte er die Stöcke, auf die er gigantische Würste aufgespießt hatte, und ganz zum Schluss bot er auch mir einen an.

»Komm!«, lächelte er. »Es ist kalt heute Nacht.«

Zögernd nahm ich sein Angebot an. Ich lehnte mein Fahrrad gegen den nächstbesten Baum und stellte mich vor das Feuer.

»Setz dich doch!«, schmunzelte Willi.

Doch das war leichter gesagt als getan. Der Kreis der *Wilden Kerle* war lückenlos und geschlossen. Besonders Rocce schaute mich feindselig an. Er war am abergläubischsten von allen.

»Na, was ist!«, raunte Willi. »Das ist Maxi »Tippkick« Maximilian. Der Mann mit dem härtesten Schuss auf der Welt. Hat er sich in den sieben Tagen seit Silvester so sehr verändert, dass ihr ihn nicht mehr kennt?«

Ich schaute verlegen auf meine Schuhe. Ich hätte so gerne etwas gesagt: ›Natürlich. Sie haben Recht.‹

Das hätte ich zu gern gesagt.

›Ich bin stumm. Wirklich stumm. Merkt ihr das nicht?‹

Aber wie sollte ich das? Denn gleichzeitig wünschte ich mir, dass keiner was merkt. Ich wollte nicht anders sein. Ich wollte, dass alles so bleibt, wie es ist. Versteht ihr das? Ja, und dieser Wunsch ging dann auch in Erfüllung.

»Komm schon«, sagte Marlon und bot mir an mich zwischen ihn und Rocce zu setzen.

Der abergläubische Brasilianer fand das überhaupt nicht witzig. »Santa Panther im Raubkatzenhimmel«, fluchte und spuckte er aus.

Doch kurze Zeit später brutzelten die Würste über dem Feuer. Wir atmeten ihren Duft, und obwohl jeder sich fragte, was Willi von uns in dieser Nacht an so einem ungewöhnlichen Ort wollte, hielten wir still. Vielleicht half uns auch der vom DFB und der Fifa getestete Punsch, den Raban verteilte. Er wärmte uns von den Haarspitzen bis in die Zehen und das machte uns Mut. Dann aßen wir, und weil Willi die besten Würste servierte, die es auf der ganzen Welt gab, verputzten wir jeder drei Paar. Und Raban fünf. Ja, und ich glaube, dann war er noch immer nicht satt. Aber er war zumindest zufrieden. So wie wir alle: zufrieden und ruhig. Und genau das hatte Willi gewollt.

»Ähem!«, räusperte er sich und schob die Baseballkappe in den Nacken. Das tat er immer, wenn er verlegen war.

»Ähem!«, räusperte er sich noch einmal und kratzte sich dann an der Stirn. »Zuerst tut es mir Leid, dass ich in der Schule so 'ne Show veranstaltet hab. Aber ich wusste nicht, in was für einer Welt ihr jetzt lebt. Nach dem Fußballorakel und nach Rabans großer Vision um die Weltmeisterschaft 2006. So was passiert ja nicht jedes Jahr, oder? Da verändert man sich.«

Er zwinkerte Raban zu und der war so stolz, dass seine Brille beschlug.

»Ja, und dann wollte ich auch, dass ihr alle kommt. Nicht so wie zu meiner Wilden Weihnachtsrodelparty vor Heiligabend. Da hat sich nur einer getraut.«

Ja, da hatte er Recht. Damals war nur Raban gekommen und der war jetzt so stolz, dass er seine Brille abnehmen musste, um sie zu putzen. Willi grinste ihn an. Zufrieden schweifte sein Blick in die Runde und am Ende landeten seine Augen auf mir. Blitzschnell schaute ich in das Feuer.

»Maxi? Ist alles klar?«, fragte er und ich nickte sofort.

Willi zögerte kurz. In seinen Augen leuchtete das Lächeln, das mehr wusste, als mir lieb war. Doch er ließ mich wie immer in Ruhe.

»Gut. Das ist gut«, sagte er. »So eine Weltmeisterschaft ist nämlich echt fett. So fett wie 'ne Weihnachtsgans und die liegt einem ganz schön im Magen, findet ihr nicht? So mitten im Winter, wenn man nicht rausgehen kann und sich richtig bewegen?«

»Verflixt! Dann vertreiben wir ihn halt, den Winter!«, rief Felix. »Maxi! Hat sich dein Vater schon 'nen neuen Globus gekauft? Den schießt du dann einfach durchs Fenster!«

»Ja, durchs Wohnzimmerfenster!«, rief Joschka. »Und dann – BAMM! – vor seinen Kopf!«

Damit meinte er den Kopf meines Vaters. Die *Wilden Kerle* lachten sich tot. Das würden sie niemals vergessen. Damals, im letzten Jahr, hatte ich die Osterferien für sie vor der Eiszeit gerettet.

Doch Willi wurde ganz ernst.

»Mhm. Ich weiß nicht. Ihr habt schon mal genauso gedacht!«, brummte er. »Nur kurz nachdem das passiert ist, worüber ihr gerade so lacht. Als Rocce zu euch gekommen ist. Ihr hattet den Dicken Michi besiegt und ihn wie eine fette Qualle aus dem Bolzplatz gekickt.«

So, jetzt war es raus.

Schlotterbein und Tarzanschrei! Davor hatten wir alle gezittert, als Leon das Wort »Kriegspfad« in Willis Einladung las. Auch damals hatte Willi von

Kriegspfad gesprochen. Von Büffeljagd und darüber, was ein Luke Skywalker ohne Darth Vader sein kann. Doch wir hatten nicht auf ihn gehört. In unseren Augen waren wir die beste Fußballmannschaft der Welt. Obwohl wir erst ein Match hinter uns hatten, träumten wir von Endspielen, Meisterschaften und steilen Profi-Karrieren. Ja, und das träumten wir so lange, bis uns Rocces Vater aus seinem Garten und Willi aus dem *Teufelstopf* warf.

»Okay! Kacke verdammte!«, fand Leon als Erster die Sprache wieder. »Was sollen wir tun?«

»Die Fußballweltmeisterschaft vergessen!«, antwortete Willi.

»Santa Panther!«, belegte mich Rocce mit einem Fluch, als wäre er Montezuma persönlich.

»Wie bitte? Aber warum?«, protestierte Fabi.

»Hat uns Raban etwa Unsinn erzählt?«, fauchte Vanessa.

»Hippopotamusbullen-Propellerschwanz-Mist! Haben wir das Fußballorakel etwa geträumt?« Raban setzte seine Coca-Cola-Glas-Brille auf und die bündelte seinen Zorn wie eine Lupe die Sonnenstrahlen zu einem gigantischen Laser. Doch Willi ließ dieser Laser eiskalt.

»Nein. Aber die Fußballweltmeisterschaft ist erst 2006! Das ist in drei Jahren«, antwortete er trocken und ruhig. »So lange haltet ihr das gar nicht aus!«

»Ich lach mich tot!«, schoss Leon zurück.

»Ach wirklich!«, konterte Willi. »Das wär aber gar nicht gut. Denn dann müssten wir die Hallen-Stadtmeisterschaft ohne dich spielen.«

»Einen Moment!«, rief Leon und in diesem einen Moment stieben Funken aus dem Feuer in den Himmel hinauf, die wie Sternschnuppen glühten. »Einen Moment!«

»Was hast du gesagt!?« Vanessa sprang auf und dann standen wir alle.

Nur Willi saß noch und schaute verschmitzt zu uns hoch.

»Ihr habt richtig gehört. Es gibt eine Hallen-Stadtmeisterschaft!«

Schlotterbein und Tarzanschrei! Was war das für eine kosmofantastische Nachricht! Wir schauten uns begeistert-entgeistert an und die Rauchwolken, die aus unseren Nasen und Mündern entwichen, tanzten wie Wattebäusche um uns herum. Doch die Nachricht war noch nicht komplett. Willis verschmitztes Lächeln erlosch.

»Allerdings hat die Sache zwei Haken!« Er kratzte sich an der Stirn.

»Ja, und? Und wenn schon!«, trotzte Fabi entschlossen. Er war der Hakenspezialist in unserer Mannschaft. Für ihn gab es kein unlösbares Problem. Erst recht nicht, wenn es um die Hallen-Stadtmeisterschaft ging. »Schieß los! Worauf wartest du noch! Wo stecken die Haken?«, preschte er los.

Willi schaute ihn an. Dann schob er die Baseballkappe tief in die Stirn und starrte ins Feuer. »Also: Erstens nehmen nur die besten zwanzig Mannschaften an der Hallenmeisterschaft teil. Das heißt, wir müssen uns am nächsten Wochenende qualifizieren. Und zweitens ist der *Teufelstopf* hoffnungslos vereist. Ja, und selbst wenn er nicht vereist wär, dann wär er noch längst keine Halle. Habt ihr schon mal in einer Halle gespielt? Verfluchte Hacke! Dagegen ist der Hexenkessel aller Hexenkessel so ruhig und so still wie der Mond.«

Die Wattewolken, die zwischen uns tanzten, zerplatzten.

»Seht ihr. Das sind die Haken«, seufzte Willi und stocherte ratlos im Feuer herum. »Ohne eigene Halle, in der wir bis zum nächsten Wochenende trainieren, haben wir nicht den Hauch einer Chance. Dann scheiden wir schon in der Qualifikationsrunde aus.«

Wusch! Zack!

Das war die Axt, die Träume zerstört. Niemand von uns besaß eine Turnhalle und einer nach dem anderen setzten wir uns wieder hin. Einer nach dem anderen stocherten wir in der Glut und suchten vergeblich nach einer Lösung. Da riefen Fabi und Leon einander plötzlich wie aus einem Mund zu: »Hey! Warte! Kann ich dich für einen Moment sprechen?«

Sie sprangen auf und liefen zum Fluss. Erregt gestikulierten sie vor dem glitzernden Wasser, doch ihre Stimmen waren so leise, als sprächen sie vom größten Geheimnis der Welt. Schließlich fassten sie einen Entschluss.

»Wir würden euch gern etwas zeigen!«, sagte Fabi und es fiel ihm nicht leicht.

»Aber nur, wenn ihr unseren Anweisungen absolut folgt!«, forderte Leon. Und der Ton, mit dem er das sagte, ließ keinen Widerspruch zu.

Der Geheimtreffpunkt

Wir sprangen auf unsere Räder, nahmen Willi auf seinem Mofa in unsere Mitte und rasten los. Leon und Fabi führten uns an. Sie jagten den Flusslauf hinab zu einer Furt, von der wir nicht wussten, dass es sie überhaupt gab. Wir galoppierten durch sie hindurch – Wände aus Wasser spritzten um uns herum zum Himmel empor – und dann verschwanden wir am anderen Ufer im Wald. Dort war es zerklüftet und wild. Trampelpfade führten die Felsen hinauf und hinab, und als keiner von uns mehr wusste, wo er war, stiegen Fabi und Leon von ihren Rädern und stellten sie ab.

»So, und jetzt verbindet euch die Augen!«, befahl Leon.

»Was so-holl denn der Mist!«, schimpfte Deniz. »Ich weiß doch sowieso nicht ma-her, wo ich bin!«

»Das ist kein Mist!«, rügte ihn Fabi. »Den Ort, zu dem wir euch bringen, kennen nur Leon und ich. Er ist unser Geheimtreffpunkt, ist das klar?

Und er wird es auch bleiben! Selbst nach der Hallen-Stadtmeisterschaft.«

»Und genau deshalb nehmt ihr jetzt eure Schals
und verbindet euch die Augen«, wiederholte Leon
seinen Befehl.

»Sonst kehren wir auf der Stelle um! Basta und Schluss!«

Noch einmal musterten wir unsere Anführer. Dann befolgten wir ihren Befehl. Gegenseitig verbanden wir uns die Augen und Leon und Fabi prüften mehr als genau, ob wir auch wirklich nichts sahen. Dann nahmen wir uns bei der Hand und stolperten hinter ihnen her durch den Wald. Zwei Schluchten hinab und zwei Hänge hinauf. Dann über eine Brücke aus Holz mit riesigen Löchern im Boden. Durch die fielen Kieselsteine in endlose Tiefen hinab. Schließlich öffnete sich ein Tor, ächzend und knarrend, aus verrostetem Stahl. Wir tasteten uns eine lange, schwankende Leiter hinauf und dort nahmen wir unsere Schals wieder ab.

»Beim fliegenden Orientteppich!«, zischte Deniz, der Türke.

»Ja, Santa Panther im Raubkatzenhimmel! Marlon, hast du das deinem kleinen Bruder echt zugetraut?«

Doch Marlon, die Intuition, war so sprachlos wie der Rest der *Wilden Fußballkerle* um ihn herum. Wir standen mitten in einem riesigen, uralten Raum. So riesig, dass wir sein Ende erst sahen, als Fabi den Hebel des Sicherungskastens umschlug. Riesige Lampen leuchteten auf.

Und jetzt sahen wir alles.

Über den löcherigen Wänden aus Holz stand ein Giebel aus vernietetem Stahl. In ihm hingen rostige Zahnräder wie Spinnen im Netz. Doch darunter war Platz. Endlos Platz, und der Boden war aus uralten, von unzähligen Arbeiterfüßen glatt geschliffenen Dielen – perfekt, um darauf Fußball zu spielen.

»Dampfender Teufelsdreck!«

»Und Sakra-Rhinozeros-Pups! Was ist das?«, staunte Raban.

»Ein altes Bergwerk!«, lächelte Fabi und genoss seinen Triumph. »Aber das ist es einmal gewesen. Jetzt gehört es Leon und mir.«

»Ja, merkt euch das!«, grinste Leon. »Doch bis wir Hallen-Stadtmeister sind, seid ihr hier unsere Gäste!«

»Oder bist du etwa anderer Meinung, Willi?«, fragte Fabi scheinheilig. »Geht das hier nicht als Turnhalle durch?«

Willi pfiff leise, aber ehrfurchtsvoll durch die Zähne. »Doch, das ist genau das, was wir brauchen!«, schmunzelte er und spuckte laut in die Hände. »Fast genau, meine ich!«

Einen Augenlidaufschlag lang waren Leon und Fabi richtig verdattert.

»Los! Worauf wartet ihr noch?!« Willi krempelte jetzt schon die Ärmel hoch. »Holt Werkzeug und

Bretter. Wir müssen die Löcher in den Wänden verschließen! Und Tore hab ich auch noch keine gesehen. Oder täusch ich mich da? Was ist? Leon und Fabi? Habt ihr etwa kein Werkzeug in eurem Versteck?«

Huch! Das grenzte fast an Beleidigung. In Nullkommanix schafften die beiden das Werkzeug herbei. Willi teilte uns ein und ein paar Stunden später waren nicht nur die Löcher in den Wänden geflickt, sondern die Halle war leer geräumt und gefegt und an ihren Stirnseiten standen zwei richtige Tore.

»So, und jetzt kommt alle zusammen!«, befahl Leon. »Machen wir unseren Kreis!«

Er lief zur Mitte der Halle und dort stellte er sich mit uns auf. Schulter an Schulter, die Arme übereinander gelegt und die Köpfe zur Mitte geneigt, standen wir da und schauten uns tief in die Augen. Selbst ich konnte das.

»So, und jetzt schwört ihr!«, sagte Leon leise und fest. »Ihr schwört, dass ihr diesen Ort niemals verratet. Dass ihr ihn niemals allein suchen oder aufsuchen werdet und dass ihr ihn nach der Hallen-Stadtmeisterschaft sofort wieder vergesst!«

»Das schwören wir!«, antworteten wir alle. Das heißt, ich bewegte wieder einmal nur meinen Mund.

»Dann ist alles gut!«, lachte Fabi.

»Ja, solange du wild bist!«, schrien wir, dass die alten Stollen des Bergwerks tief unter uns in der Erde erbebten.

Doch ich hielt mir plötzlich die Ohren zu. Ich konnte den Lärm nicht ertragen. Schlotterbein und Tarzanschrei! Was war mit mir los? Zum Glück merkte es keiner. Wir verbanden uns wieder die Augen. Leon und Fabi führten uns durch das Fauchende Tor und über die Geisterbrücke zu den Rädern zurück. Von dort ging es durch den Wilden Wald, über die Magische Furt und den Fluss-

lauf hinauf zurück in die normale, uns allen be-
kannte Welt. Am Winterlagerfeuer-Platz verabre-
deten wir uns. Wir wollten uns am nächsten Tag
sofort nach Schule und Hausaufgaben vor der Furt
treffen. Dann sprengten wir auseinander und jeder
fuhr für sich zufrieden und müde nach Haus.

Auf allen Seiten umstellt

Die Kirchturmuhr hinter den Bäumen schlug zwölf: Mitternacht. Da erreichte ich die piekfeine Alte Alle Nr. 1. Unser Haus ragte vor mir in den Sternenhimmel hinauf und es sah gar nicht mehr aus wie das Haus, in dem ich, seit ich denken kann, lebte. Es sah aus wie ein böser Zyklop und sein einziges Auge war das beleuchtete Fenster im Arbeitszimmer meines unermüdlichen Vaters. Das starrte mich jetzt feindselig an. Doch es gab mir auch meine Chance. Bis um halb drei, so wie jede Nacht, würde mein Vater noch arbeiten und bis dahin läge ich längst ganz brav und unschuldig in meinem Bett.

Meinen Ausflug hatte niemand bemerkt. Selbst das Gartentor stand noch den Spaltbreit offen, den ich brauchte, um mit meinem Fahrrad hindurchschlüpfen zu können, ohne dass es knarrte und quietschte. Das Seil am Apfelbaum vor der Garage hing wie immer im Efeu versteckt. Ich zog mich an ihm hinauf und fand die kleine dreisprossige Leiter, so wie es sein sollte, auf dem Garagendach. Über die stieg ich zum Klofenster hoch. Ich tat das ganz routiniert, wie im Schlaf. Seitdem Fabi mir diesen Weg gezeigt hatte, hatte ich ihn schon zigmal benutzt. Ja, und nur das erste Mal hatte mich mein Vater erwischt. Damals, als ich vom ersten Training für das alles entscheidende Match um den *Teufelstopf*, der damals noch Bolzplatz hieß, von der Wiese am Fluss zurückgekehrt war. Der legendären Wiese am Fluss, an dem heute das Winterlagerfeuer gebrannt hatte. Damals hatte mein Vater auf dem Klo gesessen und mich bei meiner Rückkehr erwischt.

Doch warum dachte ich gerade jetzt daran? Das Badezimmer war dunkel und das Fenster war angelehnt. So sollte es jedenfalls sein und leise und sachte drückte ich es nach innen. Doch der Fensterflügel gab diesmal nicht nach. Schlotterbein und Tarzanschrei! Ich drückte noch fester. Dann rüttelte ich und dann erst sah ich den Zettel, der zwischen Flügel und Rahmen eingeklemmt war:

Bitte, Max!
Benutze doch diesmal Haustür und Klingel.
So wie es sich gehört.

Mit einem Schlag war es still.

Das Neujahrsgedicht. Die 6 für mein Schweigen. Der Schlag gegen den Spind in der Schule und das Telefonat meines Vaters mit meinem Lehrer fielen mir schlagartig ein. Wie riesige, umstürzende Türme krachten sie in mein Bewusstsein zurück. Doch das Donnern und Krachen waren nur meine Schritte auf dem Kies des Garagendachs. Den Sprung vom Apfelbaum auf die Einfahrt hielt ich fast nicht mehr aus. So laut donnerten die Füße auf den Asphalt und die Klingel an der Haustür ließ meine Trommelfelle platzen. Auf jeden Fall glaubte ich das und dazwischen tobte mein Atem wie ein Orkan durch meinen Kopf.

›Schlotterbein und Tarzanschrei! So ist es also, wenn man stumm ist!‹ Dann konnte ich meinen Herzschlag von den Schritten hinter der Tür nicht mehr unterscheiden.

Oh, wie sehr wünschte ich mir, dass es meine Mutter war, die die Türklinke drückte. Doch die Farbe des Morgenmantels hinter dem Hammerschlagglas war purpur und die Gestalt war viel zu majestätisch und groß.

»Komm!«

Das war alles, was mein Vater nach einem endlos strengen Blick sagte. Dann folgte ich ihm. Die Augen auf meine Füße gerichtet, lief ich hinter ihm her durch den mahagonigetäfelten, dunklen Flur in sein Arbeitszimmer, in dem ich seit meinem dritten Lebensjahr nicht mehr war.

Dort setzte ich mich in den Sessel vor den Schreibtisch und sackte so tief in die Polsterung ein, dass ich mit meiner Nasenspitze fast unter die Tischplatte rutschte. Von meinem Vater, der sich auf der anderen Seite in seinen Arbeitsstuhl setzte, sah ich nur noch das Adlerhorst-Augenpaar. Und das auch nur dann, wenn sich mein Blick für eine Nanosekunde von meinen Füßen befreite.

»Nun. Wie ich sehe, wirst du wie immer nichts sagen«, sagte mein Vater und die Verachtung, die in seiner Stimme mitklang, traf mich mitten ins Herz.

»Du glotzt nur auf deine Schuhe, habe ich Recht? Max! Jetzt schau mich gefälligst mal an!«

Das war keine Bitte. Das war ein Befehl. Ich schluckte und würgte und ballte die Fäuste. Dann sah ich zu ihm hinauf, über die Schreibtischkante hinweg direkt in seine Adleraugen hinein.

»Und jetzt frage ich dich: Warum bist du so feige? Warum machst du dich vor allen zum Clown?«

Nach diesen zwei Fragen hörte ich selbst meinen Atem und meinen Herzschlag nicht mehr. Ich hörte nur, wie mein Vater die Augen zuschlug.

»Slig«, machte es. Dann war es unendlich still.

Ich schaute auf das Teppichmuster neben meinen dreckigen Schuhen. Kieselsteine vom Fluss lagen verstreut um sie herum. Dann brach mein Vater die Stille: »Also gut. Das wird nie mehr passieren, hast du gehört? Du machst dich nie mehr zum Clown! Und solang es in der Schule noch Schwierigkeiten gibt, kannst du den Fußball und deine wilden Freunde vergessen. Du hast Hausarrest, und zwar unbefristet. Und der Apfelbaum vor der Garage wird morgen gefällt.«

Mein Vater wartete noch eine halbe Minute, dann kehrte er zu seiner Arbeit zurück. Seine Finger huschten über die Tastatur, als sei nie was passiert. Das konnte ich und das würde ich niemals verstehen. Mühsam erhob ich mich aus dem Sessel und ging aus dem Arbeitszimmer hinaus.

Der Kampf beginnt

Was in dieser Nacht mit mir passierte, weiß ich nicht mehr. Auf jeden Fall war diese Nacht schwarz. Nachtschwarz, so wie die Trikots der *Wilden Fußballkerle*. Ich wachte auf, als sich die Motorsäge in den Apfelbaum fraß und die ersten Äste gegen das Garagentor krachten. Es war ein ohrenbetäubender Lärm. Ich sprang sofort aus dem Bett und warf meinen Schlafanzug mitten ins Zimmer. Ich schüttelte mein Bett gar nicht erst auf. Ich dachte gar nicht daran und zusammen mit dem Pullover, den ich anziehen wollte, riss ich gleich drei weitere aus den Schubladen raus. Sie fielen achtlos zu Boden, genauso wie die vier Hosen, sechs T-Shirts, das Dutzend Paar Socken und die unzähligen Unterhosen. Kreuz und quer wirbelten sie durch den Raum, dass es aussah, als ob es bei uns im Zimmer stürmte und schneite, und spätestens jetzt schreckte meine Schwester aus ihrem Bett.

»Bist du völlig meschugge!«, stammelte sie.

»Willst du, dass eine Katastrophe passiert? Autsch?!!!«

In diesem Moment stülpte sich meine Unterhose über ihren zierlichen Kopf, und bevor sich das Sprachgenie von einer Schwester von diesem Schock wieder erholte, knallte ich die Tür schon hinter mir zu.

»Du rennst in dein absolutes Verderben! Hast du das endlich kapiert!«, schrie sie hinter mir her, während die Bilderrahmen im Flur, von der Schockwelle des Türknalls getrieben, auf dem Fliesenboden zersprangen. Ich polterte die Treppe hinunter und begrüßte meine Eltern im Esszimmer am Frühstückstisch mit keinem einzigen Wort. Früher, bis zum Ende des letzten Jahres, hatte ich zumindest ein leises ›Hallo‹ gehaucht. Aber das hatte auch niemand wirklich gehört. Mein Vater auf jeden Fall war, was mich betraf, absolut taub. Er steckte hinter seiner Zeitung wie hinter einer schalldichten Wand und bekam von allem, was ich an diesem Morgen anstellte, überhaupt gar nichts mit. Auch nicht, als ich den Kakao anstatt in meine Tasse absichtlich über die weiße Tischdecke goss.

Meine Mutter starrte mich entsetzt an. Sie tat mir Leid und der letzte Satz meiner Schwester schoss mir wie ein heißer Blitz durch den Kopf:

»Du rennst in dein absolutes Verderben! Hast du das endlich kapiert!«

Dann nahm ich meiner Mutter die Brotzeitbox aus der Hand und rannte hinaus.

Vor der Garage, vor der die Baumpfleger gerade die Reste des Apfelbaums auf ihren LKW luden, packte ich mir einen kräftigen, knorrigen Ast und mit diesem Ast fuhr ich in die Schule. Ich kam zehn Minuten zu spät.

Der Unterricht hatte längst schon begonnen, doch das hatte ich alles geplant. Irgendetwas in mir wusste genau, was es tat. Deshalb nahm ich den Ast und ratschte mit ihm die Spinde entlang: vom Eingangsportal bis zum Klassenzimmer der 4 c am anderen Ende des Flurs. Es scheppterte und krachte, als ob ein monumentaler Blechhaufen einstürzen würde, und weil ich zehn Minuten zu spät gekommen war, war der Effekt doppelt so gut.

Lehrer und Schüler stürzten aus den Klassenzimmern heraus und gafften mir hinterher. Doch ich wartete geduldig und seelenruhig vor der 4 c. Ich ratschte und schlug gegen die Spinde, bis unser Lehrer, Herr Hochmuth, erschien. Mit hochrotem Kopf baute er sich vor mir auf und hinter ihm lugten Leon, Fabi und Marlon aus dem Klassenzimmer heraus. Herr Hochmuth schnaubte. Die Luft, die er ausstieß, war so heiß wie Feuer: »Was unterstehst du dich, Maximilian!«

Doch zu mehr kam er nicht. Ich blitzte ihn an. Ja, plötzlich konnte ich das. Ich sah ihm direkt in die Augen. Dann reichte ich ihm den Stock, wartete, bis er ihn verdattert annahm, drehte mich um und ging. Jawoll! Schlotterbein und Tarzanschrei! Obwohl die erste Stunde gerade begonnen hatte, ging ich aus der Schule hinaus. Glaubt ihr mir das? Mir, Maxi Maximilian, dem braven stillen Jungen aus der piekfeinen Alten Allee Nr. 1? Ja, und als sei das die selbstverständlichste Sache der Welt, machten mir alle Platz. Lehrer und Schüler wichen vor mir zurück. Ich konnte es selbst nicht glauben. Mein Mut schwand mit jedem Schritt. Ich rechnete jeden Moment mit meiner Verhaftung. Je näher das Eingangsportal auf mich zukam, umso widerwilliger gehorchten mir meine Füße. Ich hing an einem Gummiband, das mich zurückziehen wollte, und dieses Gummiband wurde stärker und stärker. Die riesige Holztür, die zum Pausenhof führte, wuchs in den Himmel hinein. Ich zerrte an der eisernen Klinke. Doch der Türflügel bewegte sich nicht. Da las Herr Hochmuth die Aufschrift auf dem knorrigen Apfelbaumast. Ich hatte sie mit dem fettesten Edding auf die Rinde geschrieben:

›Schlotterbein und Tarzanschrei‹!

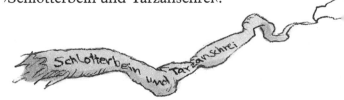

Herr Hochmuth las die Aufschrift mindestens fünfmal. Dann spuckte er Feuer.

»Maxi Maximilian! Noch heute Abend werde ich zu deinem Vater gehen und mit ihm darüber reden! Das war ein sehr großer Fehler von dir. Den wirst du nie wieder gutmachen! Hast du gehört?«

Doch ich machte noch einen zweiten, einen viel schlimmeren Fehler. Ich schaute zu Herrn Hochmuth zurück und mit diesem Blick verwandelte ich mich wieder in den Maxi, der ich bis heute Morgen noch war. Ich schämte mich. Ich hatte Angst. Ich starrte auf meine Füße und dann rannte ich panisch davon. Durch die alte Holztür, die Stufen der Außentreppe hinab und über den verwaisten Pausenhof rannte und rannte ich in das Nichts.

Du ganz allein!

Als ich mich wieder beruhigt hatte, saß ich am Fluss und stocherte mit einem Stock in der Asche des erloschenen Winterlagerfeuers herum. Um mich herum stoben dicke Schneeflocken durch die Luft und es musste schon Nachmittag sein, denn kurze Zeit später erschienen die *Wilden Kerle* und Willi.

»Pechschwefliges Rübenkraut!«, entfuhr es Ra-

ban, als er sein 12-Zoll-Mountain-Bike mit dem Traktorhinterreifen hinter mir stoppte.

Der Schnee hatte mich zugedeckt und pappte an mir wie das Fell eines Yetis.

»Heiliger Muckefuck!«, zischte Fabi, doch Marlon hob seine Hand.

Er verlangte, dass alle schwiegen, und dann sah er mich an. Ich spürte seine Augen in meinem Rücken. Sie waren so warm, dass ich mich umdrehen musste.

»Hallo, Maxi. Alles okay?«, fragte er mich.

Ich nickte.

»Ich glaub ihm kein Wort!«, zischte Rocce. »Beim Santa Panther im Raubkatzenhimmel!«

Ich zuckte zusammen, doch Marlon fiel ihm ins Wort: »Pssst! Sei doch mal still!« Dann kam er zu mir und hockte sich hin. »Maxi. Du weißt, Rocce hat Recht. Und du weißt auch, was mit Juli passiert ist, als er gedacht hat, wir halten nicht mehr zu ihm!«

Schlotterbein und Tarzanschrei! Und ob ich das wusste. Ich starrte auf meine Füße. Der Dicke Michi, der Darth Vader in unserer Welt, der gemeinste, hinterlistigste und fieseste Junge von allen, hatte Juli so lange erpresst, bis er uns, die *Wilden Kerle*, bestahl und in seine Gang überlief. Ja, Juli »Huckleberry« Fort Knox, die Viererkette in einer Person, wurde ein *Unbesiegbarer Sieger* und er zog mit dem Dicken Michi durch den Finsterwald in die Steppe hinaus, noch viel weiter als die Graffiti-Burgen, bis in ein richtiges Räubernest.

»Maxi! Hey, Maxi!«, holte mich Marlon aus meinen Gedanken. »Weißt du auch, wer Juli gerettet hat? Weißt du, wer auf das erste Spiel im *Teufelstopf* pfiff? Das erste Match in der Gruppe 8 der E 1-Jugendmannschaften! In unserem eigenen Stadion mit der nigelnagelneuen Baustrahler-Flutlichtanlage. Weißt du, wem Juli wichtiger war als das alles zusammen?«

Ich starrte auf meine Füße.

»Das warst du, Maxi. Du ganz allein. Du hast dein Schweigen gebrochen und zwei ganze Sätze gesagt. Das war mehr als sonst in zwei Jahren: ›Ich pfeif auf den *Teufelstopf* und die Liga. Juli ist unser Freund und ich werde morgen nicht ohne ihn spielen.‹ Das genau hast du gesagt und das hat Juli gerettet. Wir haben zusammengehalten. Wir haben Sense die Papiertüte mit dem Batmangesicht aufgesetzt und wir haben den Dicken Michi gehonigt und gefedert. War das nicht wild?«

Marlon lächelte und sein Lächeln steckte die anderen an. Selbst Rocce grinste zufrieden. Nur ich schloss mich aus. Ich starrte noch immer auf meine Füße.

›Ja, das war wild!‹, dachte ich. Aber das war auch was anderes. Das hatte ich für Juli gemacht. Nicht für mich. Und für mich ging das nicht. Frühlingswind hin oder her. Wenn ich etwas für mich tat, endete das so wie heute Morgen. Dann schlug ich die Tür hinter mir zu, goss den Kakao über das Tischtuch und schlug mit einem knorrigen Apfelbaumast gegen die Spindwand in unserer Schule.

»Hey, Maxi!«, rief Marlon und schüttelte mich an den Schultern. »Maxi! Wach auf!«

Ich schaute ihn an. Die Schneeflocken sausten und zischten wie Ufos um mich herum und zum Glück vermischten sich meine Tränen mit dem Tauwasser auf der Haut.

»Komm! Wir müssen aufbrechen«, sagte Marlon, stand auf und ging zurück zu den andern. »Leon! Worauf wartest du noch? Wir wollen trainieren!«

Leon zögerte keinen Moment.

»Auf zur Geheimhalle!«, rief er und dann sausten sie los.

Ich blieb im Schnee sitzen. Selbst als meine Freunde außer Sicht waren, bewegte ich mich nicht vom Fleck. Doch es wurde von Augenblick zu Augenblick unerträglicher und dann hielt ich es nicht länger aus. Ich sprang auf mein Fahrrad und raste den anderen nach. Ich fuhr so schnell, wie

ich konnte: durch die Magische Furt und in den Wilden Wald, drei Hügel hinauf und vier Schwindel erregende Gräben hinab. Mindestens vier. Ich wusste überhaupt nicht mehr, wo ich war. Doch als ich die nächste Hügelkuppe erreichte, sah ich sie endlich: Auf der anderen Seite des Grabens hielten sie an und verbanden sich die Augen.

»Hey, wartet! Wartet auf mich!«, wollte ich rufen, doch ich konnte es nicht. Deshalb trat ich in die Pedale. Ich tauchte senkrecht in den Hang ein und raste ohne zu bremsen, während die Baumwurzeln meine Vorderradfederung bis zum Lenker hoch stauchten, den gegenüberliegenden Hügel wieder hinauf. Dort sprang ich über die Kuppe, segelte haarscharf an den Köpfen und verbundenen Augen der *Wilden Fußballkerle* vorbei und kam vor Leon und Fabi zum Stehen. Die konnten als einzige *Wilde Kerle* noch sehen. Sie wichen erschrocken vor mir zurück und auf meinem Gesicht entstand mein berühmtes lautloses, grinsendes Lächeln.

»Heiliger Muckefuck!«, staunte Fabi.

»Das wurde aber auch Zeit!«, zischte Leon und versuchte seinen Schreck zu verbergen.

»Was is'n passiert?«, fragte Marlon.

»Nichts. Gar nichts«, grinste Leon mich an. »Maxi ist nur gekommen und er hätte dir beinah einen neuen Haarschnitt verpasst!«

»Santa Panther!«, zischte Rocce dunkel und vorahnungsvoll.

Das berühmte lautlose, grinsende Lächeln erlosch. Wortlos stellte ich mein Fahrrad an einen Baum und verband mir die Augen. Dann ging es los. Wir nahmen uns bei der Hand und Leon und Fabi führten uns über die Gespensterbrücke und durch das Fauchende Tor in die Geheime Halle hinein: Leons und Fabis großes Geheimnis, das sie uns anvertraut hatten, damit wir uns für die Hallen-Stadtmeisterschaft qualifizieren konnten.

Gummibeine

Fasziniert schauten wir uns in der Geheimhalle um. Auch wenn wir erst gestern Leons und Fabis Geheimtreffpunkt in eine Fußballhalle umgebaut hatten, staunten wir heute über diesen besonderen Ort. Dann rief uns Willi zusammen und wir hockten uns alle in einen engen, geschlossenen Kreis.

»Der wichtigste Unterschied zwischen Halle und Außenfeld ist die Größe. Die Halle ist kleiner, schneller und härter. Hier spielt ihr Eishockey, Rocce, hast du gehört?«, erklärte uns Willi. »Da ist nicht so viel Zauber dabei. Eishockey mit stumpfen Schlittschuhen. Das geht auf die Knochen und die Kondition. Leon! Jeder spielt vorn und hinten zugleich. Ihr seid nur zu fünft auf dem Platz und der Torwart darf nicht aus dem Kasten. Deshalb passt schnell und direkt. Fabi, du bist nicht der Stärkste im Dribbeln. Benutz die Bande als Doppelpasspartner. Ja, und das gilt für dich: Maxi, die Halle ist ungerecht und gemein. Die Spiele dauern nur zehn Minuten. Da ist oft nicht allzu viel drin. Bevor man den Gegner im Griff hat, ist es schon wieder aus und vorbei. Vorn vor den Toren stapeln sich die Spieler auf engstem Raum. Da gibt es kein Durchkommen. Meistens entscheidet ein einziges Tor und das wird fast immer aus der zweiten Reihe erzielt. Deshalb bist du unser wichtigster Mann. Maxi, dein Schuss ist die halbe Qualifikation. Ja, und vielleicht die halbe Stadtmeisterschaft.«

Ich wurde so rot wie die Nase von Rudolph, dem Rentier, und Willi schob sich die Baseballmütze in den Nacken zurück. Er kratzte sich an der Stirn und auch die anderen *Wilden Kerle* wurden nervös. Sie musterten mich. Ich spürte ihre Augen und ihr unruhiger Atem strich mir heiß und kalt durchs Gesicht.

»Verfluchte Hacke, Maxi! Im Vergleich zur Halle ist unser *Teufelstopf*, der Hexenkessel aller Hexenkessel, so ruhig und so still wie der Mond.«

Das hatte Willi schon einmal gesagt. Am Winterlagerfeuer. Aber warum wiederholte er es?

»Maxi, hast du gehört? Selbst ohne Zuschauer vervielfacht sich jedes Geräusch. Es kracht und donnert und hallt, als spielten wir unter einer riesigen Glocke. Doch beim Turnier, wenn die Eltern und Freunde aller zehn Mannschaften zuschauen werden, wird es zu einem ohrenbetäubenden Lärm.«

Ich schluckte.

»Das verwirrt. Das bringt so manchen ganz schön durcheinander«, warf Willi in die Runde hinein. »Und das gilt nicht nur für Maxi. Das gilt für jeden von euch. Felix, bei all dem Lärm darfst du niemals vergessen, dass du dich traust. Sonst macht dir dein Asthma Probleme. Und wenn du, Deniz, vor lauter Aufregung vergisst, dass du 'ne Brille hast, dann wirst du von mir auf der Stelle von Deniz, die Lokomotive, in Deniz, der Maulwurf, umbenannt.«

»Hey! Pass bloß auf, Will-ha-hilli!«, drohte Deniz.

Aber er konnte nicht böse sein. Unser Lachen steckte ihn an. Wir zogen unsere Turnschuhe an und dann ging es los.

»Lernt erst mal die Halle kennen!«, rief Willi und warf den Ball in die Luft.

Ja, und das ließen wir uns kein zweites Mal sagen. Endlich war es so weit. Endlich konnten wir Fußball spielen und das mitten im Winter. Als wäre es Frühling geworden, rannten wir los. Felix, Rocce, Jojo, Deniz, Juli und Marlon spielten gegen Fabi, Leon, Vanessa, Markus, Raban und mich. Unsere

Schritte hallten wie Donnergrollen von den Wänden und der Decke zurück! Doch das ignorierte ich einfach. Jojo stoppte den Ball in dem Augenblick, in dem die Sonne wirklich durch die Wolken brach. Ihre Strahlen flossen durch die Ritzen in den Bretterwänden hindurch wie ein Lichtwasserfall und in ihm tanzte nicht nur der Staub. Jojo tanzte im Sonnenlicht. Er tanzte um Fabi herum und schlug den Ball quer durch die Halle hindurch auf die andere Seite. Dort wartete Rocce und der stoppte das Leder, als wär es ein Teil seines Schuhs. Ja, aber er war nicht allein. Auch ich wartete dort und ich wartete einzig und allein auf ihn. Ich verstellte Rocce den Raum, rechnete mit einem seiner Zauberdribblings und war fest entschlossen mich nicht verladen zu lassen. Doch Rocce war nicht nur verhext. Er war ein verhexter, schlitzohriger, brasilianischer Pirat und mit dieser Ausgekochtheit donnerte er den Ball aus dem linken Fußgelenk gegen die Wand.

BAAAHHHM!

Ich hielt mir die Ohren zu.

»Kacke verdammte! Maxi, was macht du denn da?«, hörte ich Leon durch den Nachhall des Donnerknalls und durch meine auf die Ohren gepressten Hände hindurch.

»Raban! Felix ist frei!«, schrie Markus im Tor, dass es schmerzte, als piekste jemand eine heiße Nadel in meinen Kopf.

»Deniiiiiihz! Lauf!«, feuerte Rocce seinen Mitspieler an. Und während Raban auf Felix zulief, um ihn zu decken, prallte der Ball nach dem Gesetz ›Einfallswinkel gleich Ausfallswinkel‹ von der Wand ab. Das Leder flog in unseren Strafraum hinein und dort erschien Deniz buchstäblich aus dem Nichts.

»Benutzt die Bande!«, hatte Willi gesagt. »Und jeder spielt vorne und hinten zugleich!« An das dachte ich jetzt und auch an das: »Im Vergleich zur Halle ist der *Teufelstopf* so ruhig und so still wie der Mond!«

»Ja-ha, genau!«, schrie Deniz und traf die Kugel sauber und dampfhammerdreifachgehärtet mit dem Spann.

»SATT-TAMMMM!«, explodierte es um mich herum.

»Nein!«, schrie Markus im Tor, riss seine beiden Fäuste wie Eisenbahnpuffer vor den Kopf und warf sich mit angewinkelten Knien in den Schuss. »Dampfender Teufelsdreck!«

Dann krachte der Ball gegen ihn. WUMMMS!

»AAHH!«, schrie Markus vor Schmerz.

Seine Unterarme erbebten. Sie ächzten und stöhnten. Ich hörte das mehr als genau und dann pfiff der ins Spielfeld zurückgefaustete Ball direkt auf mich zu.

»Verflixte Hühnerkacke!«, schrie Raban und ballte die Fäuste. »Jetzt tu doch was! Maxi!!!«

Doch ich bewegte mich nicht.

Das WUMMMS! und das AAHH! echoten von den Wänden zurück und schossen und böllerten wie Flipperkugeln durch meinen Kopf. Ich hätte den Ball mühelos stoppen können. Ich hätte . . . ja, aber jetzt zischte er in Zeitlupe an meiner Wange vorbei. Die Kugel dotzte gegen die Wand, schlug einen Haken um Rocce herum, und als der blitzschnell den Fuß hob, um das Leder zu stoppen, war Fabi schon da.

»Maxi! Was ist mit dir los?«, schrie er und mir

kam es vor, als brüllte ein Löwe. »Waaahs istttt mihht diiir looooos?!«

Dann stibitzte er Rocce den Ball vom Fuß, drosch ihn gegen die Wand – »Dabamm!« – und gab Gas, dass seine Fußsohlen qualmten.

Rocce spürte nur noch das Luftloch, das Fabi hinter sich ließ und das sich jetzt wieder füllte.

Sssp! So schnell war der Kerl, doch die Halle war klein, und bevor sich Fabi versah, stand er vor Juli »Huckleberry« Fort Knox.

Die Viererkette in einer Person hatte ihn auf allen Seiten umstellt. Es gab keinen Ausweg als einen blitzschnellen, knallharten Pass quer durch die Halle nach links, wo Vanessa, die Unerschrockene, stürmte. Die stoppte Fabis Geschoss so lässig, als wär er aus Watte, und schaute sich seelenruhig um.

»Vorsicht! Hintermann!«, schrie Markus, der Unbezwingbare, in seinem Tor.

Aber Vanessa schenkte Deniz, der Lokomotive, der sie mit aller Entschlossenheit angriff, nur ein verzeihendes Lächeln und schob das Leder mit dem rechten Außenriss in die Mitte des Spielfelds hinein. Dort lauerte Leon, der Slalomdribbler, Torjäger und Blitzpasstorvorbereiter. Er lupfte das Leder mit der Fußspitze hoch in die Luft, beförderte es über den Oberschenkel auf seinen Kopf und balancierte die Kugel auf seiner Nase. Er war die Provokation in Person. Aber das war Leon egal. Er wartete nur auf Juli und Deniz. Die dampften und kochten vor Wut, grätschten Vollspeed auf ihn zu und nahmen ihn wie zwei Sensen in ihre Zange. Doch Leon wollte kein Foul. Im letzten Augenblick sprang er hoch in die Luft, ließ den Ball über den Hinterkopf rollen und kickte ihn mit der Ferse zurück.

»Maaaahxiiiieee!«, rief er und wieder brüllte der Löwe.

»Daaaaas iiiiist deiiiiin Baaaallll!«, fauchte Fabi wie ein Säbelzahntiger und Vanessas Stimme klang wie das Gebrüll eines ausgewachsenen Tyrannosaurus Rex.

»Loooos! Maaaachch diiiiehhh Kiiiiehsteeeeh!«

Ja! Und das wollte ich auch. Ich rannte auf den Ball zu, doch die Luft um mich herum war urplötzlich aus flüssigem Honig. Überall hielt sie mich fest und die Geräusche waren so laut und verzerrt, als tauchte ich in einer alten Blechbadewanne unter Wasser. Meine Schritte krachten auf die alten Dielen der Halle, als schlüge mir jemand mit einem Hammer gegen den Kopf. Der Ball hüpfte vor mir wie auf einem Silbertablett. Ich musste ihn doch nur treffen! Aber jedes Mal wenn er den Boden berührte, schrie ich auf. So krachte das Leder gegen das Holz. Mein eigener Atem machte mir Angst. Mein Puls rauschte wie ein Wasserfall zwischen den Schläfen. Mein rechter Fuß holte aus: 15 Meter zum Tor. Das war meine Entfernung. Marlon, der bei den andern zwischen den Torpfosten stand, hatte nicht den Hauch einer Chance.

»MMMMAAAAAAHHHXXXXIIIIEEEE!«, brüllten alle um mich herum.

Doch ich hatte Angst. Ich wollte, aber ich konnte es nicht. Um mich herum war alles zu laut. Den Knall meines eigenen Schusses hätte ich bestimmt nicht ertragen, und anstatt zu schießen verwandelte sich mein rechtes Dampfhammerbein in

handwarme Knete. Ich knickte ein und fiel über das Leder. Ich, Maxi »Tippkick« Maximilian, der Mann mit dem einstmals härtesten Schuss auf der Welt, schlug flach und der Länge nach auf dem harten Holzboden auf, und als das überraschte Raunen der anderen in Enttäuschung verebbt war, war es endlich ganz still.

Ich sah mich um, doch die Tränen in meinen Augen machten mich blind. So blind wie Raban und Deniz. Die anderen *Wilden Fußballkerle* huschten als verschwommene Schatten um mich herum. Was würden sie tun? Sie säuselten, zischten und flüsterten, doch ich konnte nichts mehr verstehen. Ich hatte Angst. Ich dachte an Gnome, Trolle, Gespenster, Vampire – und zuckte zusammen, als jemand ganz nah über mir war.

»Hey, Maxi, was ist?«, fragte mich Marlon und ich wischte mir die Tränen aus dem Gesicht.

»Willst du nicht mit uns reden?«, fragte er ernst und besorgt. »Wir brauchen dich, weißt du.«

Aber ich schüttelte nur den Kopf.

»Warum?«, fragte Marlon.

Ich sah ihn an und zerbiss meine Lippen. Ich hätte so gern gesprochen. Marlon war wirklich mein Freund. Alle waren sie meine Freunde.

»Maxi! Warum?«, fragte Marlon noch mal.

Die Fältchen um seine Augen lachten mich an.

Sie machten mir Mut. Da nahm ich mein Herz in die Hand.

»Ich kann nicht!«, sagte ich endlich und die Tränen schossen mir aus den Augen. »Ich kann nicht. Ich kann überhaupt nicht mehr sprechen! Merkt ihr das nicht?«

Doch wieder einmal bewegte ich nur die Lippen. Außer Luft kam aus meinem Mund überhaupt nichts heraus. Die anderen waren geschockt. Sie schauten sich an. Was war denn das? Was war mit mir los? Ich hörte ihre Gedanken in meinem Kopf: ›Maxi ist durchgeknallt. Er ist verrückt, banane, meschugge, nicht mehr ganz sauber hier oben. Da muss man was tun! Unbedingt muss man das!‹

Aber genau *das* wollte ich nicht. Nein! Ich war nicht verrückt, und bevor ich mir noch mehr anhören musste, sprang ich auf. Ohne mich anzuziehen, in Turnschuhen und durchgeschwitzten Klamotten, rannte ich aus der Geheimhalle hinaus, huschte durch das Fauchende Tor, stolperte über die Gespensterbrücke und floh in den Wilden Wald.

Die Explosion

Im Wald war es dunkel und kalt. Dichter Nebel stand zwischen den Bäumen und das Schneetreiben nahm mir den letzten Rest Sicht. Ich suchte die Stelle, wo unsere Fahrräder standen. Sie war nur ein paar Hundert Meter von der Gespensterbrücke entfernt. Das wusste ich trotz der verbundenen Augen. Aber ich fand sie nicht. Stattdessen hatte ich mich nach fünf Minuten verirrt. Auch die Geheimhalle war nicht mehr da. Der Waldboden hatte sie für immer verschluckt. Was sollte ich tun? Schlotterbein und Tarzanschrei! Meine Schuhe waren durchnässt. Der Schweiß ließ mein Kapuzensweatshirt und meine Trainingshose gefrieren und meine Haare standen wie vereiste Stacheln auf meinem Kopf. Ich hätte am liebsten geschrien: »Hilfe! So helft mir doch!« Aber das – das wisst ihr doch! – konnte ich nicht.

Deshalb rannte ich los. Ich rannte und rannte. Ich rannte, um nicht zu erfrieren. Ich rannte, bis ich glaubte, dass mir die Lungen zerplatzen. Ich konnte nicht mehr. Ich blieb einfach stehen. Ich schloss meine Augen und fiel in den Schnee.

Um mich herum war es absolut still. Nur mein Herz pochte und raste und dann hörte ich durch das Pochen und Rasen den Fluss.

Ich stand mühsam auf. Ich wischte mir den Schnee aus den Augen und ging durch den Nebel hindurch. Der Fluss wurde lauter und dann stand ich, was für ein Wunder, vor der Magischen Furt.

Oh, mein Gott! War ich froh! Auf der anderen Seite der Furt begann die Welt, die ich kannte! Ich war gerettet und mit neuer Kraft, als wär bisher gar nichts passiert, als hätte ich bisher nur geschlafen, rannte ich los. Ich rannte und rannte bis in die Alte Allee. Erst dort, als ich zerzaust, durchnässt und mit Dreck beschmiert an der piekfeinen Nummer Eins den Klingelknopf drückte, fiel mir alles wieder siedend heiß ein: Der Hausarrest. Das Fußballverbot. Der Ast vom Apfelbaum. Das Scheppern der Spinde in unserer Schule und unser Lehrer.

Schlotterbein und Tarzanschrei! Ich zitterte wie eine Antilope am Nordpol. Ich wollte weglaufen und blieb trotzdem wie gelähmt stehen. Dann ging die Tür auch schon auf. Das Licht der Deckenlampe in der Diele fiel wie ein Suchscheinwerfer auf mich und in seinem gleißenden Kegel erschienen zwei Schatten. Mein Vater und Herr Hochmuth standen vor mir. Ihre Blicke waren eiskalt. Kälter als der Wilde Wald und das Wasser des Flusses in der Magischen Furt. Aber sie sagten kein Wort.

Verbannt

Meine Mutter dagegen redete viel. Sie redete ohne Pause: »Was machst du bloß? Oh, mein Gott, Maxi! Was ist mit dir los? Wie siehst du denn aus? Hat das irgendwas mit deinen Freunden zu tun? Maxi, jetzt sag doch was!«

Doch genau das konnte ich nicht. Obwohl sie die richtigen Fragen stellte, blieb ich stumm. Ich nahm sie nur in den Arm und sie kümmerte sich rührend um mich. Sie steckte mich sofort in die Wanne und kochte mir Tee. Sie maß dreimal meine Temperatur und fünfmal den Puls. Erst als sie ganz sicher war, dass mir nichts fehlte, erst als ich ganz ruhig war und nicht mehr fror, gab sie mich frei. Im Morgenmantel und mit einer Wärmflasche unter dem Arm schickte sie mich aus dem Badezimmer nach unten.

Die Treppe zur Diele war steil. So steil, dass mir schwindelig wurde, und der Flur zum Arbeitszimmer streckte und dehnte sich wie ein endloser Tunnel. Das hoffte und wünschte ich mir jedenfalls. Aber der Tunnel war nur ein Flur, höchstens fünf Meter lang, und nach diesen fünf Metern kam eine Tür.

Ich klopfte so leise und zaghaft, dass ich es selbst kaum hörte. Doch es war laut genug.

»Komm herein!«, sagte mein Vater und das klang wie ein Todesurteil.

Ich gehorchte sofort und trat ein. Meine Augen schauten auf meine Füße, als hielten sie sich an ihnen fest. So stellte ich mich vor den Schreibtisch. Auf der anderen Seite thronte mein Vater in seinem mächtigen Stuhl. Er hielt den knorrigen Apfelbaumast in der Hand. Er musterte mich und ich hielt es nicht aus. Dann brach er das Schweigen.

»Herr Hochmuth hat mir alles erzählt«, stellte er fest, als würde er sagen, Jack the Ripper ist überführt. »Ich muss dir nicht sagen, wie du mich enttäuschst.«

Ich schielte nach rechts. Dort stand mein Lehrer vor dem Fenster und tat so, als starrte er durch die nachtblinden Scheiben hindurch. Er wippte entschlossen auf den Fußballen und drehte sich dann zu mir um.

»Ich bin ratlos, Maxi. Absolut ratlos!«, verkündete er und verschränkte die Arme auf seiner Brust. »Und unsere Geduld ist am Ende«, fügte mein Vater hinzu. »Ein für alle Mal und für immer. Ich habe genug Geduld mit dir gehabt.«

Ein eiskalter Windhauch wehte durchs Zimmer. Ich presste die Wärmflasche vor meinen Bauch.

»Kannst du dich an die beiden Wohnzimmer-

fenster erinnern, die du zuerst mit dem Fußball und dann mit dem Globus zerschossen hast?«, fragte mein Vater. »Du wolltest damit den Winter vertreiben.«

Herr Hochmuth schüttelte den Kopf und seufzte. Er war fassungslos. Dabei hatte es doch funktioniert. Schlotterbein und Tarzanschrei!

Am nächsten Morgen war es Sommer geworden. Hatten sie das überhaupt nicht kapiert?

»Dann bist du trotz Fußballverbot und Hausarrest ausgebüxst. Deine Freunde haben dir dabei geholfen. Sie haben deine Schwester zum Cheerleader gemacht, damit sie mir auf die Nerven geht, und ihr seid in meiner Bank erschienen, unter falschem Namen seid ihr da aufgetaucht, und habt mich erpresst.«

Herr Hochmuth raufte sich jetzt die Haare. Er wollte noch fassungsloser aussehen. Ich stampfte vor Wut mit dem Fuß auf den Boden. Verflixt! Mein Lehrer wusste doch gar nicht, worum es da ging. Zwei Wochen Hausarrest und das in den Ferien. Das wäre so gut wie lebenslänglich gewesen. Und die Trikots hatten wir doch gebraucht, um gegen die *Bayern* zu spielen. Aber wir hatten kein Geld, um sie zu kaufen. Deshalb benötigten wir einen Kredit, und damit wir diesen bekamen, haben wir ihn nicht erpresst. Wir haben meinem Vater nur ein Angebot gemacht, das er nicht ablehnen konnte. Schlotterbein und Tarzanschrei! Und wir haben unsere Schulden bezahlt! Ich stampfte noch mal auf den Boden. Verdammmich noch mal! Wie gern hätte ich jetzt geredet!

»Dann kam die Schlacht um das Baumhaus. Mitten in der Nacht habt ihr gegen die Halunken und Gauner aus den Graffiti-Burgen gekämpft. Das war schon fast kriminell. Und dann seid ihr zu Silvester alle Mann ausgebüxt. Bis weit nach Mitternacht habt ihr euch rumgetrieben, nur um dieses so genannte ›Fußballorakel‹ zu sehen.«

»Fußballorakel! So was gibt es doch nicht!«, kicherte Herr Hochmuth so besserwisserisch, wie nur ein Erwachsener und Lehrer es kann.

Ich hätte ihm am liebsten eine Kopfnuss verpasst. Doch das, das wusste ich, hätte meine Situation nicht verbessert.

»Ja, und jetzt verweigerst du deine Hausaufgaben. Du störst den Unterricht der gesamten Schule, ignorierst Hausarrest und Fußballverbot, schwänzt den ganzen Tag und treibst dich nur noch mit dieser Straßenmannschaft herum. Du bist so besessen von Fußball, dass du selbst im tiefsten Winter in Fußballklamotten auf die Straße rennst, dir die halbe Nacht um die Ohren schlägst und dich dabei fast zu Tode frierst. Und egal, was man tut oder sagt: Du schaust einem nie in die Augen und du sagst kein einziges Wort.«

Ich starrte auf meine Füße. Das musste ich, denn der Boden begann Wellen zu schlagen. Mir wurde schwindelig. Der Frühlingswind fegte wie ein Sturm durch mich durch. Ich wurde leicht wie ein Vogel.

»Jetzt tu doch was! Tu doch was!«, flüsterte die Stimme in mir, doch im selben Augenblick hatte ich diesen Moment schon verpasst.

Die verrostete Rüstung, die ich die ganze Zeit trug, zog mich auf den Boden zurück. Sie schrumpfte zusammen, packte mich mit eiserner Hand und versuchte mich zu ersticken.

»Schade. Anscheinend können wir nichts für dich tun!«, beschloss mein Vater. »Deshalb bleibt mir keine andere Wahl. Du gehst ab sofort auf ein Internat.«

Ich zuckte zusammen. Die Wärmflasche fiel auf den Boden. Ich schnappte nach Luft. Doch um mich herum schien es keine zu geben. Ich schaute bittend und bettelnd zu meinem Vater, doch meine Augen flatterten wie Motten im Licht.

»In fünf Tagen. Nächsten Montag fängst du dort an. So lange bleibst du zu Hause. Zu Hause, in deinem Zimmer. Ist das klar?«

Ich schluckte und würgte und mein
Vater hielt das für ein Nicken.

»Okay! Dann sind wir uns einig.
Gute Nacht!«, sagte er und warf
den knorrigen Apfelbaumast in den
Papierkorb.

Nur das Ende mit der Edding-
schrift lugte aus ihm hervor:
›Schlotterbein und Tarzanschrei‹!

Das hatte ich erst heute Morgen geschrieben. »Warum versteht das denn keiner?«, dachte ich.

»Willst du vielleicht etwas sagen?«, fragte mein
Vater und beugte sich über den Tisch.

Hoffnung blitzte in seinen Augen.

Doch ich konnte es nicht. Alles, was ich zu sagen
hatte, stand auf dem Ast.

Mein Vater wartete noch ein paar Sekunden.
Dann wurden seine Augen wieder grau und eiskalt
und ich floh aus dem Zimmer.

Ein paar Minuten später lag ich im Bett. Die Fensterkreuze huschten vor den Autoscheinwerfern
über die Wand. Der Wind schabte über den
Schnee auf dem Dach, und nachdem Herr Hochmuth gegangen war, kehrte mein Vater zu seiner
Arbeit zurück. Ich hörte das Klacken der Compu-

tertastatur durch die Wände hindurch und ich hörte die Schritte meiner Mutter vor meinem Zimmer. Sie wollte, doch sie konnte nichts tun. Mein Vater hatte die Entscheidung gefällt. Ab Montag ging ich auf ein Internat. Ab Montag steckte er mich in ein Gefängnis. Ein Gefängnis aus grauem, trostlosem Stein mit Gittern vor den Fenstern und Glassplittern und Stacheldraht auf den Mauern um den dunklen Hof. Verbotsschilder und Tafeln schmückten die Wände. Darauf stand: »*Wilde Kerle* verboten!« oder: »Alles ist gut, solange du brav bist!« Doch das schlimmste Gebot von allen hieß: »Gib endlich auf!«

»Ich hab dich gewarnt!«, klang es trocken aus dem Bett meiner Schwester. »Du rennst in dein absolutes Verderben! Erinnerst du dich?«

Ich ballte die Fäuste. Noch ein einziges Wort, dachte ich, doch dann zeigte sich meine Schwester von einer anderen Seite. Sie wurde zu Julia.

»Es tut mir Leid!«, sagte sie. »Und ich hoffe, deinen Freunden fällt etwas ein, um dich aus dieser Hölle zu holen. Du hast sie doch noch, deine Freunde, oder? Maxi! Was ist?«

Ich lag auf dem Rücken und rührte mich nicht. Die Tränen kullerten aus meinen Augen heraus. Nein, das hatte ich nicht. Ich hatte meine Freunde nicht mehr. Für die Hallen-Stadtmeisterschafts-Qualifikation brauchten sie den Mann mit dem härtesten Schuss auf der Welt, doch ich hatte meine Beine in Gummi verwandelt. Ich war nutzlos für sie und ich hatte, was noch viel schlimmer war, den Schwur gebrochen. Den waschechten und heiligen *Wilde Kerle*-Schwur. Könnt ihr euch daran erinnern?

»So, und jetzt schwört ihr!«, hatte Leon gesagt, ganz leise und fest. »Ihr schwört, dass ihr diesen Ort niemals verratet. Dass ihr ihn niemals allein suchen oder aufsuchen werdet und dass ihr ihn nach der Hallen-Stadtmeisterschaft sofort wieder vergesst!«

Ja, das hatten wir alle geschworen. Auch ich! Selbst wenn ich nur die Lippen bewegte. Denn einen Schwur, den spricht man nicht mit dem Mund. Den spricht man mit seinem Herzen. Doch wo war mein Herz, als ich weggerannt war. Ohne Erlaubnis und Augenbinde. Nein, indem ich den Weg zur Magischen Furt fand, hatte ich mich nicht nur gerettet. Ich hatte das größte Geheimnis von Leon und Fabi verraten: ihren Geheimtreffpunkt, unsere Geheimhalle. Ja, und jetzt frage ich euch: Was sollten die *Wilden Kerle* noch für mich tun? Für einen Verräter, der anstatt des härtesten Schusses der Welt nur noch Gummibeine besaß? Nein, ich wette mit euch: Meine Freunde hatten denselben Wunsch wie mein Vater. Sie wollten mich nie wieder sehen! Nie! Und ein Internat mit Stacheldraht und Glassplittern auf den Mauern bot für diesen Wunsch die sicherste Garantie.

Die *Wilden Kerle*

Am nächsten Tag fiel das Training der *Wilden Fußballkerle* aus. Ich hatte keine Ahnung davon. Ich lag
in meinem Zimmer auf meinem Bett und starrte
gegen die Decke. Ich hatte mir Watte in die Ohren
gesteckt und zum allerersten Mal in meinem neun-
jährigen Leben genoss ich die Stille. Kein Flüstern.
Kein Zischen. Kein Wind-schabt-über-Schnee-
harsch-auf-Dach. Ich war ganz allein. Die Welt um
mich herum existierte nicht mehr, und wenn meine Mutter in mein Zimmer kam, um mich zum
Essen zu rufen, drehte ich mich einfach zur Wand.

Unterdessen fiel das Training der *Wilden Kerle*
an diesem Nachmittag aus. Marlon, die Nummer
10, hatte sie darum gebeten und sie waren seiner
Bitte gefolgt. Selbst Willi, der beste Trainer der
Welt, hörte auf ihn. Einer nach dem anderen trafen sie auf Camelot ein, kletterten in die Halle, in
das erste der drei Stockwerke unseres Baumhauses
hinauf und hockten sich dort im Kreis um den
Amboss.

Der Amboss, das alte Holzfass, wurde immer in unsere Mitte gerollt, wenn Not am Mann war, und diese Not bestand jetzt. Das wussten sie alle. Sie hatten es von Herrn Hochmuth erfahren. Ohne mich, ohne Maxi »Tippkick« Maximilian war eine Qualifikation für die Hallen-Stadtmeisterschaft nicht mehr möglich. Ohne den Mann mit dem härtesten Schuss auf der Welt brauchten sie gar nicht mehr zu trainieren. Ohne Maxi gewann der Winter, die fußballfeindlichste Zeit des Jahres, seine unbarmherzige Herrschaft zurück.

»Ja, und wenn wir dann alle auf unseren Zimmern hocken und die Decke anstarren, landen wir früher oder später auch alle im Internat!«, sagte Marlon und traf den Nagel genau auf den Kopf.

Keiner von ihnen würde eine fußballfreie Zeit überstehen. Sie würden verrückt werden, durchdrehen. So wie im letzten April. Mindestens so, wenn nicht noch schlimmer.

»Dann mischen wir das Internat halt tüchtig auf!«, lachte Raban, der Held. »Bis es ein ›Wildernat‹ ist!«

Doch sein Lachen erfror in der Kälte um sie herum. Ein Internat war selbst für die *Wilden Kerle* zu stark.

»Ich weiß. Aber dann wären wir wenigstens wieder alle zusammen«, nuschelte Raban.

»Ja, vielleicht«, sagte Marlon. »Aber warum müssen wir dafür ins Internat? Ich denke, keiner von uns sollte dorthin. Auch nicht Maxi!«

Jetzt war es still.

Die *Wilden Fußballkerle* scharrten nervös mit den Füßen. Sie schauten zu Leon und Fabi, die ihre Anführer waren. Was sagten die?

»Maxi hat den Schwur gebrochen!«, brummte Leon, der Slalomdribbler, Torjäger und Blitzpasstorvorbereiter.

»Ja, er hat die Geheimhalle verraten«, zischte Fabi, der schnellste Rechtsaußen der Welt, und schlug mit der Faust gegen das Fass. »Den Geheimtreffpunkt von Leon und mir!«

»Und er hat nicht mehr den härtesten Schuss auf der Welt!«, sagte Leon und meißelte damit sein Urteil in Stein.

»Das stimmt!«, nickte Marlon. »Aber das ist noch nicht alles. Maxi hat noch was anderes verloren.«

»Hottentottenalptraumnacht und Krokodilstränensintflut«, ahnte Raban entsetzt.

»Ja. Seine Stimme«, sagte Marlon ganz heiser und schaute seine Freunde der Reihe nach an.

Sie hingen alle an seinen Lippen: »Maxi hat seine Stimme verloren und niemand hat es gemerkt!«

Marlon wischte sich die Tränen aus dem Gesicht.

»Krumpelkraut und Krapfenkrätze!«, fluchte er und das kam höchstens zweimal in zwölf Monaten vor. »Krumpelkraut und Krapfenkrätze! Das war für ihn bestimmt genauso schlimm wie für uns sein Verrat. Versteht ihr das nicht? Was würdet ihr tun, wenn euch so was passiert?«

»Santa Panther im Raubkatzenhimmel!«, schimpfte Rocce, der Zauberer, mit sich selbst. »Und ich hab ihm noch die Schuld an allem gegeben.«

Er verpasste sich eine Ohrfeige: PATSCH! – und ihr Knall irrte in der Stille zwischen den Bretterwänden umher.

Die *Wilden Kerle* schauten zu Willi. Der zog

seine Baseballmütze vom Kopf und zerquetschte sie zwischen den Fingern.

»Verflixt! Wir müssen was tun! Irgendwas!«, dachte er laut.

»Aber was? Will-ha-hili!«, forderte Deniz, die Lokomotive, und der beste Trainer der Welt wusste zum ersten Mal keinen Rat.

Die Stille, die jetzt durch Camelot zog, kam direkt aus meinem Zimmer in der Alten Allee. Sie war so eisig und schwer wie drei Tonnen tief gefrorener Stahl. Leon schaute zu Fabi, dem schnellsten Rechtsaußen der Welt, dem Wildesten unter Tausend, doch der biss seine Fingernägel bis auf die Halbmonde ab.

»Schlotterbein und Tarzanschrei!«, flüsterte der Slalomdribbler, als hätte er mit mir die Rollen getauscht. »Ja, Schlotterbein und Tarzanschrei!«, wiederholte er und strahlte über das ganze Gesicht. »Kacke verdammte! Versteht ihr? Er hat es uns selbst gesagt: Schlotterbein und Tarzanschrei! Weil er stumm ist, hat er Gummibeine gekriegt und ein Schrei, nur ein Tarzanschrei, kann ihn davon erlösen.«

»Krumpelkraut und Krapfenkrätze!«, fluchte Marlon jetzt schon zum dritten Mal und stellte damit die Welt auf den Kopf. »Bist du wirklich mein Bruder?«

»Nee!«, grinste Leon zurück. »Das bin ich nur, wenn du sagst, wie das geht. Also, Klugscheißer! Wie kriegen wir Maxi zum Schreien?«

»Ganz einfach!«, lachte Marlon. »Du hast es doch selbst schon gesagt: Schlotterbein ... Angst! Wir veranstalten eine Horrorgruselnacht!«

»Heiliger Muckefuck!«, hauchte Fabi begeistert.

»Ja, worauf du Gift nehmen kannst!« Marlon war nicht mehr zu bremsen. »Hört mir jetzt alle ganz genau zu. Wir brauchen Böller, Heuler und Silvesterraketen. Alles, was ihr gebunkert habt, hört ihr. Alles! Und wir brauchen auch alle Ghettoblaster. Mit genug Batterien. Lange Mäntel, Perücken und Faschingsmonstermasken. Leon, du bringst die Walkie-Talkies von uns und Jojo, du leihst dir die Megafone aus dem Waisenhaus aus. Die, die ihr immer für die Sportfeste nehmt. Markus, Vanessa, Raban, Juli, Joschka und Deniz: Ihr baut euch so hohe Stelzen, so hoch es nur geht. Und die anderen helfen Willi dabei, die Flutlichtanlage abzumontieren.«

Ein Raunen erfüllte die Halle. Die Flutlichtanlage war heilig. Doch Marlon wusste genau, was er tat.

»Ja, die Flutlichtanlage. Sie muss vom *Teufelstopf* in den Wilden Wald. Willi, schaffen wir das mit dem Strom? Weißt du, das muss ein richtiger Höllentrip werden!«

»Kreuzhuhn und Kümmelkack!«, staunte Juli »Huckleberry« Fort Knox.

»Ich glaube, ja, ich glaube, das kriegen wir hin!«, schmunzelte Willi, doch dann wurde er wieder ganz ernst.

»Aber ich glaube nicht, dass das reicht.«

»Beim fliegenden Orientteppich!«

»Genau! Maxi hat es nämlich schon selber versucht. Erinnert ihr euch? Der Apfelbaumast. Das Donnern gegen die Spinde in der Schule. Das Schwänzen des Unterrichts und die Flucht aus der Geheimhalle in den Wilden Wald! Maxi wollte sich damit selber Angst einjagen, versteht ihr das jetzt? Gut! Aber es hat nicht gereicht. Die Angst war nicht groß genug und dabei wär er beinah erfroren.«

»Pechschwefliges Rübenkraut!«, fluchte Raban entsetzt.

»Ja! Und wie sollen wir so eine Angst übertreffen?«, traute sich Jojo aus dem Waisenhaus kaum noch zu fragen. »Wir können ihn doch nicht vierteilen und foltern.«

»Nein. Das können wir nicht!«, antwortet Marlon düster und schroff. »Aber es gibt noch was Schlimmeres!«

»Was-w-w-was denn?«, stammelte Felix, der Wirbelwind.

»Verrat!«, verkündete Leon ganz leise. »Maxi muss glauben, dass wir ihn verraten haben!«

»Dampfender Teufelsdreck!«, zischte Markus, der Unbezwingbare.

»Aber das kostet uns was!«, warnte Marlon die Freunde. »Kein Verrat ist umsonst. Leon und Fabi! Seid ihr bereit euren Geheimtreffpunkt für immer zu opfern?«

»Wie bitte?«, fragte Fabi entsetzt? »Opfern an wen?«

»An das größte und schrecklichste Monster in unserer Welt!«, antwortete Marlon.

»Den Dicken Michi«, hauchte Joschka, die siebte Kavallerie, und wollte und konnte es einfach nicht fassen.

Der Drache erwacht

Eine halbe Stunde später waren Leon und Fabi bereits unterwegs. Sie fuhren in den Finsterwald und durch das alte zerfallene Tor. Sie durchquerten den Brennnesselgraben und die trostlose, melancholische Steppe. Sie kämpften gegen den eisigen Wind und sie drangen in die Graffiti-Burgen ein, um den schlafenden Drachen zu wecken.

Bei Einbruch der Dunkelheit, wenn alle Hoffnungen schwinden, trafen sie sich mit dem Dicken Michi: dem fiesesten, gemeinsten und gefährlichsten Jungen in unserer Welt. Er war Darth Vader und Sauron in einer Person und mit der Macht eines Schwarzen Lochs im Weltall zog er das Böse an.

Eine Galaxie des Grauens

schwirrte um ihn herum und das waren die *Unbesiegbaren Sieger*: Fettauge, Dampfwalze, Krake, Mähdrescher, Sense und der monumentale Chinese Kong.

Schlotterbein! Leon und Fabi kratzten die letzten Reste ihres Mutes zusammen. Das war der wildeste Plan, den sich die *Wilden Kerle* je ausgedacht hatten. Zum ersten Mal in ihrer Geschichte verbündeten sie sich mit dem Bösen. Dem bösesten Bösen, und keiner der *Wilden Kerle* wusste, was danach passiert. Tarzanschrei! Und ich, ja ich, verdammmich noch mal, ich war der Köder.

Deshalb griff sich Vanessa auch zur selben Zeit meine kleine Schwester. In der piekfeinen Alten Allee stand die Unerschrockene plötzlich vor ihr, als hätte man einen Alligator in den Kommunionsunterricht gebeamt. Ja, und genauso verrückt und gefährlich war der Plan, den sie Julia jetzt erzählte. Meine Schwester wurde ganz blass. So etwas gab es in ihrer Barbiepuppenwelt nicht und das würde mein Vater niemals erlauben.

»Nein. Nie im Leben tut er das!«, schüttelte Julia den Kopf und presste den Rücken gegen die Mauer.

»Ich weiß!«, grinste Vanessa. »Und genau deshalb funktioniert unser Plan.«

Meiner Schwester verschlug es die Sprache. Zum ersten Mal in ihrem siebenjährigen Leben passierte ihr das. Sie schüttelte nur noch den Kopf. Doch Vanessa hatte kein Mitleid mit ihr. Es ging darum, einen Verräter zu strafen. Das war unbarmherzig und hart, auch wenn der Verräter ihr Bruder war.

»Okay! Wie du willst!«, seufzte Vanessa.

Sie beugte sich ganz tief zu meiner Schwester hinab und hauchte ihr Eisblumen auf das Gesicht.

»Du hast die Wahl, Schnuckiputzi! Entweder tust du am Sonntag das, was ich sag, oder ich muss dafür sorgen, dass du alles, was du heute gehört hast, sofort wieder vergisst! Willst du das?« Und mit dieser freundlichen Frage drückte sie Julia einen Zettel in die Hand.

Der schwarze Punkt

Dem Donnerstag folgte der Freitag und auch am Samstag und Sonntag lag ich bewegungslos auf dem Bett. Ich starrte gegen die Decke. Fensterkreuze huschten vor Autoscheinwerfern über die Wand und beleuchteten immer wieder den Kampf der Gedanken. Er tobte in meinem Kopf: »Am Montag, ja morgen schon, gehst du ins Internat. Dann kannst du die *Wilden Fußballkerle* vergessen! Auf jeden Fall wirst du, Maxi »Gummibein« Stummfisch, nie wieder ein *Wilder Kerl* sein! Worauf du Gift nehmen kannst!«, lachten die Stimmen in meinem Kopf.

»Aber das will ich nicht!«, wehrte ich mich. »Ohne die *Wilden Kerle* kann ich nicht leben!«

»Ach, was du nicht sagst! Erkennst du uns nicht? Hör doch mal ganz genau hin!«, höhnten die Stimmen. »Wer sind wir denn, he? Heiliger Muckefuck und Hottentottenalptraumnacht! Hast du's jetzt endlich kapiert? Oder soll'n wir noch weitermachen, Maxi »Gummibein« Stummfisch?«

»Nein! Bitte nicht! Seid doch mal still!«, flehte ich.

»Ja, natürlich, sehr gerne! Aber nur wenn du gehst. Hau endlich ab, Maxi! Am besten heute noch. Hast du gehört? Schreib dir das hinter die Ohren. Denn mit jeder Minute, in der du noch bleibst, gehst du ein Risiko ein, das du nicht einschätzen kannst. Unsere Rache. Maxi! Die Strafe, die dir gebührt, weil du uns verraten hast!«

»Bitte, seid still!«, flehte ich. »Ich geh ja schon. Morgen früh bin ich weg!«

Ich presste mich gegen die Wand und hielt mir die Ohren zu. Doch jemand packte jetzt meine Hände. Erschrocken fuhr ich herum und starrte meiner Schwester direkt ins Gesicht.

»Hey! Was ist denn?«, lächelte sie und zog mir die Watte aus den Ohren heraus.

»Ich bin's doch nur. Julia! Es ist Sonntagabend. Das Essen steht auf dem Tisch und ich fände es toll, wenn du jetzt mit uns isst. Ab morgen tust du das nämlich im Internat. Hmm? Was ist?«

Sie bot mir die Hand. Ich zögerte. Dann nahm ich das Angebot an und mit einem Ruck zog sie mich aus dem Bett.

»Siehst du! Es geht doch. Und auch Mama und Papa sind froh. Glaub mir! Es gibt dein Lieblingsessen: Pommes mit Ketchup. Heiliger Bimbam!

Kannst du dir Papa vorstellen? Wie der geguckt haben muss? Pommes mit Ketchup hat der noch nie angerührt. Selbst als er so alt war wie wir! Bimbam und Borium! Wenn er das überhaupt einmal war!«

Sie lachte und ihr Lachen steckte mich an. Der Hauch meines berühmten lautlosen, grinsenden Lächelns kehrte in meine Augenwinkel zurück. Verflixt! War das schön! Wir gingen die Treppe hinunter und meine Schwester redete weiter wie ein plätschernder Bach: »Und, ach ja! Da war noch was. Vanessa hat mir einen Zettel gegeben. Für dich!«

Sie reichte mir das karierte Rechenpapier.

»Mit 'nem schwarzen Punkt mittendrauf. Hat das irgendwas zu bedeuten?«

Ich zuckte zusammen und wurde ganz bleich.

Ein schwarzer Punkt, das war ein Todesurteil. Das Todesurteil der *Wilden Kerle.* So wurden Verräter gewarnt, bevor die Strafe sie traf. Schlotterbein und Tarzanschrei! Auch meine Schwester verstummte.

Sie verstummte, als spürte sie Eisblumen auf ihrem Gesicht.

»Viel Glück!«, sagte sie nach endloser Zeit, doch ihre Stimme war brüchig.

Ich nickte. Dann gingen wir zu unseren Eltern ins Esszimmer und setzten uns an den Tisch.

Lauf, Maxi, lauf!

Das Essen war schrecklich. Mein Vater pries und lobte die Pommes, als wären sie ein Sieben-Gänge-Menü, doch er schob sie mit spitzer Gabel auf dem Teller herum, als wären sie lebendige Würmer. Meine Mutter tat so, als würde ich morgen für eine Woche ins Disney-Land fahren, und meine Schwester sagte kein Wort. Sie versuchte nur die Eisblumen auf ihren Wangen vor uns zu verbergen.

Ich vergrub den Zettel in meiner Faust: Vielleicht war es doch besser, wenn ich morgen verschwand. Da flog ein Kieselstein gegen das Fenster.

»Pflock!«

Ich zuckte zusammen. Meine Schwester wurde ganz blass und mein Vater spitzte die Ohren.

»Pflock!«, traf der zweite Kiesel die Scheibe und der dritte und vierte Kiesel flogen hinterher. »Plock! Plock!«

»Theodor! Das ist für Maxi!«, rief meine Mutter

begeistert. »Das sind seine Freunde, die ihn verabschieden wollen! Ist das nicht nett?«

Und wie nett das war! Ich krallte mich an der Tischdecke fest, damit sie mein Zittern nicht sah.

»Pflock! Pflock!«, machte es und es wurde jedes Mal lauter. Das Fensterglas ächzte. Das war eine Warnung! Eine Warnung an mich: Beim nächsten Treffer wird die Scheibe zerplatzen! Ich sprang entsetzt auf. Doch mein Vater war schneller.

»Setz dich sofort wieder hin!«, befahl er.

Er rannte zum Fenster und riss es auf. Ich hörte das Schnacken, Sausen und Pfeifen.

»Kah-wennng! Wuuuhhsch und Sauuuus!«

Mein Vater ging vorsichtshalber in Deckung. Er warf sich flach auf den Bauch.

Da zerschlug ein Globus das Glas des geschlossenen Fensters auf der anderen Seite des Zimmers. SCHEPPER-KAWUMMS! Die Erdkugel dotzte neben der Glasvitrine gegen die Wand und zersprang. Ein Zettel fiel aus ihr heraus. Er war schwarz wie die Nacht! Meine Mutter und meine Schwester starrten mich noch immer fassungslos an, doch mein Vater las schon die Aufschrift in der knallorangen Tinte:

Lauf, Maxi! Lauf!

Ein Stromschlag durchfuhr mich: »Lauf, Maxi! Lauf!« Ich verstand es sofort. »Lauf um dein Leben!«, stand da geschrieben und im selben Augenblick sprang ich, so wie ich war, in T-Shirt und Strümpfen, durch das offene Fenster hinaus.

»Halt! Du bleibst hier!«, schrie mein Vater und ich hätte ihn zu gern gewarnt.

»Halt dich da raus!«, hätte ich ihm am liebsten gesagt. »Die wollen nur mich!«

Doch wie konnte ich das? Ich hatte meine Stimme verloren. Deshalb sprang er mir nach. Er glaubte, ich wollte nur fliehen. Er glaubte, das sei nur ein Trick. Ein billiger und unverschämter

Trick meiner Freunde, um mich vor dem Internat zu bewahren. Doch da irrte er sich. Ich hatte keinen Freund mehr. Ich hatte sie alle verraten und dafür wurde ich jetzt ganz schrecklich bestraft. Ich, und nicht er. Deshalb musste ich ihn beschützen.

»Halt! Bleib sofort stehen!«, schrie er und heftete sich an meine Fersen. Ich musste meinem Vater entkommen, bevor die Rache meiner Freunde zuschlug. Doch mein Vater kapierte das nicht.

Raketen und Riesen am Fluss

Ich rannte die Straße hinab. Ich rannte, so schnell wie ich konnte, doch das nützte mir nichts. Mein Vater war schneller als ich. Er holte immer mehr auf. Ich musste was tun.

Unbedingt musste ich das. Deshalb sprang ich über Zäune und Hecken. Ich floh durch fremde Gärten hindurch. Hunde bellten und kläfften und sie wurden von Alarmanlagen noch übertönt. Da brach ich durch eine Böschung hindurch und stand auf der Wiese am Fluss.

Endlich war ich allein. Erschöpft und ohne Schuhe stand ich neben der Winterlagerfeuer-Stelle im Schnee. Meine Strümpfe waren durchnässt und meine eiskalten Füße begannen zu schmerzen. Ich konnte nicht mehr. Ich trug nur ein T-Shirt und meine nackten Arme waren ganz taub. Da knackte und krachte es hinter mir. Ich drehte mich um und sah zur Böschung zurück. Mein Vater kämpfte sich durch sie hindurch. Er torkelte auf die Wiese und kam erschöpft auf mich zu.

»So! Jetzt hab ich dich, Bürschchen!«, stammelte er. »Und jetzt gehen wir brav und hübsch zusammen nach Haus!«

Er kramte sein Handy aus der Hosentasche und telefonierte mit meiner Mutter.

»Frederike? Komm bitte mit dem Wagen zur Brücke am Fluss!«

Dann packte er mich am Schlafittchen und zog mich hinter sich her.

»Das war das letzte Mal, dass du mir so was antun konntest!«, schnaufte mein Vater und für einen Augenblick war ich froh.

»Es ist alles vorbei!«, dachte ich, als das Stampfen ertönte.

BUUUHM! BUHHHM!, hallte es unter der Brücke hervor.

Mein Vater blieb stehen. Seine Augen wurden ganz schmal und sein Griff an meinem Kragen noch fester. Unter der Brücke regte sich was. Schatten kamen aus den finsteren Bögen heraus. Riesige Schatten. Schatten von Riesen. Ja, jetzt sahen wir sie.

BUUUHM! BUUUHM! BUUUHM!

Sie kamen direkt auf uns zu. Auf langen schlaksigen Beinen. Mit wehenden Mänteln und Haaren. Ihre Gesichter waren schreckliche Masken und ihre Augen glühten rot, gelb und grün!

»Papa!«, schrie ich, doch es kam nur heiße Luft zwischen meinen Lippen hervor. »Papa! Bitte lass mich doch los!«

Ich zerrte an meinem T-Shirt und sah zu den Riesen hinauf. Es waren mindestens fünf. Nein, sechs, sieben, acht! Sie fauchten und grunzten und dann hoben sie ihre Krallen und rissen mit ihnen Löcher in den Himmel hinein.

»UUUUAAAAH!«, schrien sie und ich versuchte noch einmal mich zu befreien.

»Lass mich los!«, schrie ich stumm und stemmte mich gegen den Arm meines Vaters.

Doch der lachte sich einfach nur tot.

»Mein Gott! Das ist nicht dein Ernst!«, spottete er. »Das sind doch nur deine Freunde! Haben die wirklich geglaubt, dass ich auf diesen Faschingszug reinfallen werde?«

Nein! Natürlich nicht! Aber wie sollte ich ihm das erklären? Es ging um viel mehr und in diesem Moment flogen die Silvesterraketen auch schon auf uns zu. Sie heulten und jaulten über unsere Köpfe hinweg und sie schlugen neben uns in den Schnee. Das Lachen meines Vaters erstarb. Er starrte auf meine geöffnete Hand und den Zettel, der in ihr klebte. Das karierte Papier mit dem schwarzen Punkt.

»Ganz egal, was ihr vorhabt!«, zischte er. »Das wird euch nichts nützen! Das lass ich nicht zu!«

Aber seine Drohung war nur heiße Luft und sein Griff wurde locker. Ich riss mich los. Ich rannte davon. Auf der Brücke über mir stoppte meine

Mutter den Wagen. Doch ich rannte in die entgegengesetzte Richtung, von der Brücke weg, den Flusslauf hinab, immer weiter. Ich rannte und rannte und mein Vater rannte hinter mir her.

»Theodor! Maxi!«, rief meine Mutter besorgt, doch meine Schwester, die neben ihr stand, knuffte sie in die Seite.

Sie zeigte zu den Riesen hinab, die jetzt ihre Mäntel und Masken wegwarfen. Es waren Raban, Joschka, Felix, Juli, Deniz und natürlich Vanessa. Die Unerschrockene sprang von den Stelzen und grinste zu Julia hoch. Sie kniff ein Auge zu und hob zufrieden den Daumen. Dann schaltete sie den Ghettoblaster aus, den sie um die Brust trug, und das Stampfen der Riesen verstummte.

»Ufff!«, seufzte Julia. »Jetzt weißt du es auch! Es ist alles geplant!«

Sie lachte erleichtert, doch meine Mutter konnte und wollte ihre Erleichterung noch nicht teilen. Schlotterbein und Tarzanschrei! Ja, sie war eine Mutter und sie hatte verflixt noch mal Recht!

Die Magische Furt

Ich rannte und rannte bis zur Magischen Furt. Doch dort blieb ich stehen. Ich blieb stehen, als hätte mich jemand auf den Boden genagelt. Ich sah kurz zurück. Mein Vater konnte nicht mehr. Er hielt sich die Seite. Trotzdem kam er näher und näher. Noch zehn, höchstens fünfzehn Sekunden. Dann war er da. Verflixt! Welchen Weg sollte ich nehmen? Die Magische Furt gehörte bestimmt zu ihrem teuflischen Plan. Nein, sie war eine Falle! Aber wenn ich die Uferböschung hinauflief, kehrte ich in die Welt meines Vaters zurück. In die Welt, die jetzt Internat hieß. Ja, und dorthin wollte ich auch nicht zurück. Das hatte ich auf der Flucht schon gelernt. Nie im Leben wollte ich das! Da ermahnte mich das Keuchen und Schnaufen meines Vaters zur Eile.

Ich rannte los. Weiter am Ufer des Flusses entlang. Immer weiter, das sagte ich mir, auch wenn es schwachsinnig war. Immer weiter und weiter bis zum Ozean.

Doch nach den ersten fünf Schritten krachte es los. Direkt vor mir, als rannte ich in das Feuer einer Armee. Ich schlug einen Haken nach rechts. Ich wollte die Uferböschung hinauf. Da ertönten die Heuler. Sie zischten zwischen den Bäumen hindurch. Sonnenräder flammten direkt vor mir auf und aus ihrem wirbelnden Licht traten zwei Jungen. Es waren Jojo und Markus.

»Tut mir Leid! Hier kommst du nicht durch!«, sagte der Unbezwingbare mit einer Reibeisenstimme, dass mir das Rückgrat gefror.

Ich schaute zu meinem ersten Fluchtweg zurück, den Flusslauf hinab. Auch dort brannten und drehten sich Sonnen und vor ihnen versperrten mir Fabi und Leon den Weg.

Auf der dritten Seite, den Flusslauf hinauf, stand mein Vater. Er staunte mit offenem Mund, aber auch er würde mich fangen. Deshalb blieb mir nur ein einziger Weg: die Magische Furt und die führte direkt in die Falle. Schlotterbein und Tarzanschrei! In die verbotene Zone. In das Land des Verrats. Dorthin, wo es nur die Geheimhalle gab.

Trotzdem rannte ich los. Ich floh durch die eisige Furt. Meine Füße schrien vor Schmerz. Sie wollten mich warnen und erschrocken schaute ich noch mal zurück. Doch was ich da sah, machte mir Mut. Ja, ich war richtig glücklich. Mein Vater rannte mir nach. Gott sei Dank tat er das! Ich war nicht allein. Mir konnte nichts mehr passieren. Das glaubte ich in diesem kurzen Moment, doch auf der anderen Seite des Flusses hob Leon das Walkie-Talkie zum Mund.

»Willi? Rocce? Marlon? . . . Jetzt!«

Der Wilde Wald

Zwei Herzschläge lang erschien der Wilde Wald wie die Rettung. Die steilen Felshänge und die mächtigen Bäume versprachen mir Schutz. Die kniehohe Schneedecke wirkte warm und herzlich und es war so unendlich still. Selbst mein Vater schien seinen Zorn zu vergessen und blieb neben mir stehen.

Da sirrte es leise. Ein Britzeln und Knacken erfüllte die Luft. Ich horchte auf und ein Lächeln entstand auf meinem Gesicht. Dieses Geräusch kannte ich wie kein anderes. Es gehörte zum *Teufelstopf*. Dem Hexenkessel der Hexenkessel. Dem Stadion der *Wilden Fußballkerle e. W.* Es war die Flutlichtanlage, die Willi für uns gebaut hatte. Im selben Augenblick flammten die Scheinwerfer auf. Nur fünf Meter von uns entfernt und aus der Höhe unserer Augen schossen sie ihr Licht auf uns ab. Fünf Sekunden lang gleißten sie auf. Dann erloschen sie wieder und wir waren blind.

Schlotterbein und Tarzanschrei! Auch diesen Trick kannte ich schon. Wir hatten ihn in der

Schlacht um Camelot gegen die *Unbesiegbaren Sieger* verwendet und er hatte perfekt funktioniert.

Um uns herum war es schwarz. Ja, um uns, denn auch mein Vater konnte jetzt nichts mehr sehen.

»Lauf, Maxi! Lauf!«, rief Marlon.

Er stand auf den Felsen rechts über uns und hielt das Megafon vor den Mund. Genauso wie Rocce.

»Santa Panther, sonst fangen wir dich!«, rief der Brasilianer vom linken Berghang herab. Leons Megafonstimme erklang hinter uns aus der Magischen Furt: »Du wirst uns nie wieder verraten, Maxi! Hast du gehört?«

Jetzt hatte es auch mein Vater kapiert. Das hier war keine Show, um mich vor ihm und dem Internat zu beschützen. Das hier war blutiger Ernst. Deshalb griff er nach meiner Hand. Er hielt sie ganz fest. Aber er hielt sie nicht, um mich festzuhalten. Er nahm sie, um mich zu beschützen.

»Lauf, Maxi! Lauf!«, schrie Marlon noch mal und dann rannten wir los.

Das heißt, wir stolperten, fielen, rollten und dotzten, denn wir waren ja blind. Unzählige Male passierte uns das. Wir stolperten über Baumwurzeln, die wir nicht sahen. Wir fielen über Felsbrocken, die sich vor uns versteckten. Wir verloren das

Gleichgewicht und den Halt. Wir rollten Hänge hinab und dotzten tief in den hüfthohen Schnee. Dabei verloren wir uns, doch wir gaben nicht auf. Wir fanden uns jedes Mal wieder und jedes Mal nahmen wir uns, mein Vater und ich, erneut bei der Hand.

Schließlich ließ der Flutlichtschock nach. Unsere geblendeten Augen passten sich an die Dunkelheit an und wir kamen immer schneller voran. Unsere Verfolger blieben zurück, bis sie am Ende verstummten. Wir hatten es gemeinsam geschafft. Wir waren ihnen entkommen. Davon waren wir überzeugt und so stiegen wir Hand in Hand den nächsten Felshang hinauf.

Ich fühlte mich wohl. Meine durchnässten Kleider und Socken nahm ich gar nicht mehr wahr. Doch als wir die Kuppe erreichten, schlug mir die kälteste Kälte entgegen, die es auf der Welt gab.

Schlotterbein und Tarzanschrei! Wir waren ihnen gar nicht entwischt. Nein, wir waren direkt in ihre Falle gerannt. Das Schlimmste würde noch kommen. Das erkannte ich jetzt und schlotternd und zitternd starrte ich zu dem anderen Hügel hinüber, auf dem die Geheimhalle stand.

Ich konnte und wollte nicht mehr.

»Lasst mich in Ruhe!«, wollte ich schreien, doch ich war immer noch stumm.

Hilflos setzte ich mich in den Schnee. Ich suchte

den Blick meines Vaters. Auch er schien zu wissen, was jetzt passierte. Doch er war stark. Für ihn war die Geheimhalle nur ein Haus. Ein Schutz vor der Kälte.

»Komm, Maxi, komm!«, sagte er nur. Dann hob er mich auf. Er nahm mich auf den Arm, was er noch nie getan hatte, und trug mich einfach und gegen alle Verbote der Welt über die Gespensterbrücke und durch das Fauchende Tor in die Geheimhalle hinein.

Der Drache schlägt zu

Die Halle war dunkel und leer. Vielleicht hatte ich mich ja geirrt. Vielleicht waren wir wirklich entkommen. Oder vielleicht war das, was wir durchgemacht hatten, für die *Wilden Kerle* schon Rache genug. Ja, vielleicht war alles vorbei. Auf jeden Fall war ich fürchterlich müde. Erschöpft und erfroren schaute ich zu, wie mein Vater in der Halle herumlief. Er brach Holzbretter aus den Wänden heraus, schichtete sie auf dem Deckel eines alten Ölfasses auf und entfachte ein Feuer. Dann hängte er unsere nassen Kleider darüber. Irgendwo fand er ein paar alte Decken. In die wickelte er mich und sich ein und dann nahm er mich noch ganz fest in den Arm.

Langsam wurde mir warm. Ich starrte ins Feuer und irgendwann hörte ich durch das Prasseln und Brutzeln der Flammen eine Stimme hindurch. Sie kam von weit her, doch sie kam ganz schnell näher, ja, und dann verstand ich sie gut.

»Ich war genauso wie du!«, sagte mein Vater und

ich konnte es einfach nicht glauben. »Ich bin ganz genauso gewesen. Ich habe auch nie was gesagt.«

Schlotterbein und Tarzanschrei! Das konnte nicht sein!

Aber es tat auch gut. Es machte mir Hoffnung! Mein Vater war genauso gewesen wie ich und er war nicht verstummt. Er konnte reden! Verdamm- mich noch mal! Doch damit war meine Freude auch schon wieder vorbei. Mein Vater war nicht verstummt! Doch ich, ich brachte keinen Ton mehr heraus. Auch jetzt nicht, obwohl ich es mir nur zu sehr wünschte. Mehr als alle Weihnachts- wünsche der Welt. Mehr als die Hallen-Stadtmeis- terschaft und die Weltmeisterschaft 2006.

»Ich würde dir so gerne helfen!«, sagte mein Vater. »Du musst mir nur etwas sagen. Bitte, sag doch was!«

Ich würgte und würgte, doch ich schaffte es nicht. Ich presste nur Tränen aus meinen Augen hinaus.

»Bitte, Maxi, sag, was ist mit dir los? Ich will doch auch nicht, dass du ins Internat gehen musst.«

Das war der letzte Satz meines Vaters. Danach verstummte auch er. Wir starrten ins Feuer. Jeder für sich, und obwohl ich auf seinem Schoß saß, waren wir ganz weit voneinander entfernt. Schließlich schliefen wir ein. Ich gegen die Brust meines Vaters und mein Vater gegen einen Pfeiler gelehnt.

Wir schliefen ganz fest, so als wären wir sicher zu Hause. Ja, und deshalb war ich fest davon überzeugt, dass ich träumte.

Es hörte sich an wie das Krabbeln und Rascheln von Käfern. Von riesigen, braunen und fetten Käfern. Kakerlaken nennt man sie sonst, doch in diesem Fall waren es die *Unbesiegbaren Sieger.*

Sie krochen aus den Schatten und den Ritzen hervor und sie hatten sich prächtig geschmückt. Krake hatte sein Spinnentattoo mit Leuchtfarbe nachgemalt und sein Irokesenhaarschnitt stand ihm in spitzen, pechschwarzen Stacheln vom Kopf. Fettauge zierte eine Augenklappe mit einem zerlaufenen Glibberauge darauf. Dampfwalze hatte sich den Schädel bis auf den Pony rasiert. ›Glatze mit Vorgarten‹ nannte er das. Der finstere Mähdrescher trug einen Eishockeyhelm mit Wikingerflügeln wie Hagen von Tronje und Sense hatte seine Fahrradkette gegen Stacheldraht eingetauscht. Kong, der monumentale Chinese, stützte sich auf einen Spazierstock aus einem Stück Straßenbahnschiene und der Dicke Michi trug seine Säge wie eine Winchester im Arm.

So kamen sie jetzt auf uns zu. Ganz langsam und selbstsicher! Wie ein Schwarm Haie umkreisten sie uns. Ich hörte ihre schweren, schlurfenden Schritte und da war ich plötzlich wieder hellwach. Schlotterbein und Tarzanschrei! Das war überhaupt gar kein Traum! Das war Wirklichkeit und mein Vater schlief immer noch fest. Ich rüttelte und schüttelte ihn. Doch er wurde nicht wach.

»Lass mich. Bitte!«, murmelte er und Krake äffte ihn nach.

»Bitte! Bitte! Lass mich!«, spottete er und zog seinen Kreis um uns herum enger.

Die anderen machten es nach. Sense hob seine Stacheldrahtkette über den Kopf und wirbelte sie durch die Luft, dass es jaulte.

»Hey, Michi!«, hauchte er wie durch Schmirgel-
papier. »Und was passiert jetzt?«

Die anderen Mistkerle grölten und heulten.

Senses Frage erweckte ihre Gehirne zum Leben,
als schütte man Benzin in ein Feuer hinein.

WUUUHSCH!, machte es und in meinem Kopf
fuhren die Ängste Achterbahn mit einem neunfa-
chen Looping. Da hob der Dicke Michi die Arme
und breitete sie ganz langsam aus.

»Pst!«, sagte er. »Pst! Nicht alle auf einmal. Wir
haben die ganze Nacht Zeit.«

Danach war es still.

Knochenbrecherisch still, und damit mir das
klar wurde, knackte Kong mit seinen Finger-
gelenken, als würden im Urwald Bäume
gefällt.

Selbst die *Wilden Kerle*, die sich zusammen mit Willi über uns im Dachstuhl versteckten, hielten die Luft vor
Schreck an. Keiner von ihnen wusste,
was jetzt noch passierte. Sie hatten den
Drachen geweckt. Sie hatten ihn aus
den Graffiti-Burgen zu sich geholt
und ihn um Hilfe gebeten, doch
damit war jede Kontrolle verwirkt. Jetzt
tat der Drache nur noch das, was er wollte,
und er kam mit sieben Köpfen direkt auf mich zu.

»Hey, Michi! Wie war das noch mal?«, krächzte Sense schon wieder. »Wer von den beiden muss leiden und wer guckt nur zu?«

»Der Junge guckt zu!«, hauchte der Dicke Michi und nahm mich ins Visier.

»Kanalrattenschweinefurz!«, fluchte Sense. »Ich hab noch nie einen Bankdirektor gequält!«

»Und das wirst du auch nie!«, schrie ich ihn an.

Ja, ihr habt richtig gehört. Ich schrie. Ich stand da, nur mit einer Decke um meinen Körper, und schrie sie immer noch an.

»Nie werdet ihr das! Nie! Habt ihr das alle kapiert!«

Dann rüttelte und schüttelte ich meinen Vater.

»Papa! Wach auf! Ich brauche dich jetzt!«

Doch mein Vater war längst schon hellwach.

»Mein Gott! Das gibt es doch nicht! Maxi, sag das noch mal!« Er strahlte über das ganze Gesicht, doch ich konnte das überhaupt nicht verstehen.

»Papa, was soll das? Ich brauche dich! Siehst du das nicht? Das sind die *Unbesiegbaren Sieger*!«

»Was du nicht sagst!«, lachte der Dicke Michi. Er stand direkt hinter mir und drückte den Knopf seiner Säge. Ein Jaulen erfüllte die Luft. Ein Jaulen von zehntausend Zahnarztbohrern.

»Papa!«, schrie ich.

Da wurde das Jaulen von Applaus übertönt. Er kam von der Decke und nur Sekundenbruchteile später seilten sich die *Wilden Kerle* aus dem Dachstuhl herab.

Sie pfiffen und applaudierten noch immer. Selbst

die *Unbesiegbaren Sieger* fielen in ihr Klatschen mit ein.

»Kacke verdammte!«, rief Leon. »Marlon und Willi, ihr hattet Recht!«

»Ja, Heiliger Muckefuck!«, raunte Fabi und Rocce setzte sein »Santa Panther im Himmel!« darauf.

Juli nahm Joschka in seinen Arm und liebkoste ihn mit einer Kopfnuss.

»Dampfender Teufelskerl!«, fluchte Markus und dann brachte Jojo es auf den Punkt: »Dieser Schlawiner ist gar nicht stumm!«

»Dreifach geölte Eulenkacke, das stimmt!«, lachte Raban.

»Was dachtest du denn!«, scherzte Vanessa. »Er redet. Und wie!«

»Ja-ha!«, grinste Deniz. »Mehr als meine O-hama aus der Türkei!«

Darüber lachten wie alle.

Doch der Dicke Michi blieb ernst. Todernst baute er sich vor mir auf. Ein fettes Muskelpaket spannte sich über sein pechschwarzes Herz und sein Laserblick lähmte mich mit hypnotischer Kraft. Für einen endlosen Augenblick war es still. Alle starrten ihn an. Was würde der Darth Vader unserer Welt tun? Die Horrorgruselnacht war vorbei. Seine Aufgabe war doch erfüllt. Ich hatte meine Stimme wiedergefunden. Doch das schien den

Dicken Michi jetzt nicht zu interessieren. Seine Räuberseele erklärte alle Abmachungen mit den *Wilden Kerlen* für nichtig. Sein Atem rasselte wie der eines Pottwals, der einmal um die ganze Welt getaucht war, und gleich würde er mich mit Sicherheit fressen. Da lachte der Kerl, heiser und rau, und dann brach er mir mit seiner Radkappenhand beinah die Schulter.

»Bravo, Tippkick! Das war echt wild!«, gratulierte er mir und Kong, der monumentale Chinese mit der Straßenbahnschiene als Spazierstock, reichte mir sogar die Hand.

»Beim heiligen Kung Fu!«, raunte er. »Ich hab mich richtig vor dir gefürchtet.«

»Ja, du hast wie ein tyrannischer Saurus geschrien!«, grinste Sense.

Wir atmeten auf. Der siebenköpfige Drache war wieder besänftigt. Der Dicke Michi hielt Wort. Ja, vielleicht traute er sich auch nicht mehr sich noch einmal gegen uns zu erheben. Immerhin hatte er genug Niederlagen eingesteckt. Ja, vielleicht. Aber vielleicht war er auch in dieser Nacht und zum ersten Mal unser Freund.

Da hob Marlon die Hände.

»Seid doch mal still!«, rief er. »Haltet die Klappe! Verflixt! Wir sind noch nicht fertig. Die Prüfung ist noch nicht vorbei!«

Sofort war es still und in dieser Stille pochte und schlug nur ein einziges Herz: meins. Marlon war sichtlich zufrieden. Er nahm mich ins Visier.

»Maxi, du hast zwar das Sprechen gelernt, aber du musst uns noch eine zweite Sache beweisen. Weißt du, du warst einmal Maxi »Tippkick« Maximilian, der Mann mit dem härtesten Schuss auf der Welt. Doch dann warst du Maxi »Gummibein« Stummfisch. Ja, und jetzt müssen wir wissen, wer du in Wirklichkeit bist?«

Ich schluckte und trampelte nervös auf der Stelle, aber Marlon grinste mich an.

»Deshalb spielen wir jetzt wieder Fußball! Endlich spielen wir wieder, und damit wir ganz sichergehen können, wer Maxi ist, spielen wir gegen die *Unbesiegbaren Sieger*. Los, worauf wartet ihr noch!«

Der Trippel-M. S.

Zwei Minuten später standen wir auf dem Feld. Marlon hatte an alles gedacht. Selbst meine Hallenfußballschuhe standen bereit. Doch so sehr ich mich freute, so nervös war ich auch. Konnte ich es ihnen wirklich beweisen? War ich wirklich wieder der Mann mit dem härtesten Schuss auf der Welt?

Da pfiff Willi an. Sense schob den Ball zum Dicken Michi und der passte sofort und knallhart zu Kong.

»Gib Gummi!«, schrie er, dass die Wände erbebten.

Dann rannte er los.

Kong, der monumentale Chinese, trieb das Leder auf der linken Außenlinie entlang. Dort stellte sich Juli ihm in den Weg, doch die Viererkette in einer Person kam zu spät. Kong flankte bereits. Der Ball flog über die gesamte Breite der Halle und tropfte an Senses Brust ab.

»Kanalrattenschweinefurz! Michi, pass auf!«, schrie der Kerl mit dem Stachelhalsband, und bevor ich auch nur daran denken konnte, ihm den Ball abzuluchsen, drosch er die Kugel aufs Tor. Sie passte genau in den rechten Torwinkel. Doch Markus war da.

»Aaah!«, schrie der Unbezwingbare auf, als er den Ball mit den Fäusten abwehrte. Das war eine Glanzparade à la Oliver Kahn. Doch das Leder fiel Kong direkt vor die Füße.

»Heiliger Kung Fu!«, schrie der und zog ab.

Die Kugel schoss auf die linke untere Torecke zu. Markus, der noch am Boden lag, sprang sofort auf. Er streckte und dehnte sich. Er wurde doppelt so lang wie er war und in letzter Sekunde lenkte er den Ball mit den Fingerspitzen gegen den Pfosten. Von dort prallte das Leder zurück, durch

Marlons Beine hindurch. Es kullerte über das Feld und hüpfte dem Dicken Michi direkt auf den Spann.

»Uaaah!«, schrie der Darth Vader unserer Welt. Dann nahm er Maß und katapultierte den Ball Richtung linke untere Ecke.

»Dampfender Teufelsdreck!«, fluchte Markus und noch einmal riss er sich hoch. Er sprang auf. Er flog wie ein Vogel. Wie ein Delfin tauchte er in die linke Torecke hinab. Doch er war zu weit weg und das Leder passte genau. Der Dicke Michi riss die Arme empor und seine Lippen formten schon den Triumph!

»Toooor!«, wollte er schreien. Da erschien Joschka, die siebte Kavallerie, aus dem Nichts und kratzte die Kugel im letzten Augenaufschlag von der Linie.

»Marlon!«, rief Leon. »Worauf wartest du noch? Das wird ein Konter. Das ist unsere Chance. Los, alle nach vorne!«

Doch Marlon war längst am Ball und ohne zu zögern passte er ihn millimetergenau in Fabis Lauf. Der nahm die Kugel gar nicht erst an, denn Sense klebte ihm an den Fersen. Fabi gab dem Ball nur einen weiteren Tritt. Er verlängerte ihn gegen die Bande und von dort prallte das Leder zu Leon zurück. Der Slalomdribbler, Torjäger und Blitz-passtorvorbereiter nahm den Ball mit dem Knie und legte ihn sich maßgeschneidert in seinen Spurt. Drei blitzschnelle Schritte ließen Mähdrescher aussteigen, Fettauge grätschte ins Leere und Dampfwalze wurde danach ganz peinlich getunnelt. Doch dann stand der Dicke Michi vor Leon und Kong versperrte den Fluchtweg nach rechts. Sense raste von links auf ihn zu und Krake verkürzte den Winkel im Tor.

»Beim fliegenden Orientteppich!«, schrie Deniz in das Spielfeld hinein. »Leon, spiel ab!«

Doch das schrie Deniz zu spät. Leon hatte längst schon gepasst, blitzschnell schob er das Leder in seinen Rücken zurück und dort erschien ich. Mit festen Schritten lief ich auf den Ball zu.

Dann holte ich aus. Mein rechter Fuß streckte sich ganz weit nach hinten und ich spürte die Augen meines Vaters auf mir.

»Schlotterbein und Tarzanschrei!«, schrie ich so laut, wie ich konnte. Ich wollte mich spüren und hören. Erst dann zog ich ab, und das sage ich euch: Ich traf das Leder hunderprozentig genau.

SATTAAMM!, dröhnte es durch die Halle und dann ertönte ein Pfeifen. Der Ball zog es wie einen Kometenschweif hinter sich her. Krake mit dem

Irokesenhaarschnitt und dem Spinnentattoo auf der Stirn wurde es fürchterlich bang. Er warf sich vor Entsetzen flach auf den Boden und nur eine Nanosekunde später schlug der Ball im Tor ein. Er zerriss das Netz, durchschoss die Holzwand der Halle und donnerte draußen im Wald gegen einen mächtigen Baum. Der ächzte und stöhnte, und während ich meine Arme hochriss, brach er in der Mitte zusammen.

»Hast du den Schuss gesehen!«, rief ich und sprang meinem Vater direkt in die Arme.

»Und ob ich das hab!«, freute der sich. »Ver-

dammmich noch mal. Maxi, das war ein wasch-echter Trippel-M. S.!«

»Ein was?«, wollte ich wissen und strahlte ihn an.

»Ein Mega-Mörser-Monster-Schuss!«, lachte mein Vater und ich lachte mit.

Ich lachte und drückte ihn so fest, wie ich konnte.

Sieben-Gänge-Pommes

Zu Hause gab es Pommes mit Ketchup. Meine Mutter hatte sie noch mal und ganz frisch für mich und meinen Vater gemacht: aus selbst geschälten Kartoffeln. Oh Mann, hatte ich einen Hunger und auch mein Vater griff zu. Das könnt ihr nicht glauben! Nein, aber er langte zu wie sonst nur bei einem Sieben-Gänge-Menü und bei jedem Biss beteuerte er, dass er in seinem Leben nie wieder etwas anderes essen würde. Verdammmich noch mal! Wir verschlangen jeder mindestens zwei Pfund Pommes und dabei erzählte ich alles. Vom Silvesterschwur und dem Verlust meiner Stimme. Vom alten Apfelbaum, von den Gummibeinen und der Hallen-Stadtmeisterschaft. Von den Riesen und Raketen am Fluss, den Sonnenrädern an der Magischen Furt, dem Dicken Michi und seiner jaulenden Säge und immer wieder vom Trippel-M. S.: dem Mega-Mörser-Monster-Schuss.

Ich erzählte und erzählte und ich würde bestimmt noch immer erzählen, hätte meine kleine Schwester Julia, der Wortwasserfall, die sonst immer alle mit ihren Ergüssen ergötzte, nicht vor Eifersucht geraucht und gekocht.

»Jetzt mach aber'n Punkt!«, zischte sie und sie hatte Recht.

Ich war hundemüde. Deshalb ging ich ins Bett. Ich duschte und putzte die Zähne. Ich zog meinen Schlafanzug an, und als ich vom Bad in mein Zimmer zurückkam, saß mein Vater auf meinem Bett. Dort hatte er nicht mehr gesessen, seitdem ich drei Jahre alt war. Doch jetzt war er da. Er deckte mich zu und er schaute mich ganz lange an.

»Ich hab es mir anders überlegt«, brach er das Schweigen. »Du gehst morgen nicht in das Internat!«

Ich setzte mich auf. Das hatte ich bei aller Aufregung beinah vergessen.

»Danke!«, sagte ich und ich schaute meinem Vater dabei tief in die Augen.

»Bitte!«, lächelte er. »Und bitte verzeih mir, dass ich dich überhaupt wegschicken wollte.«

»Nein, das tu ich nicht!«, sagte ich.

Mein Vater schluckte und zuckte zusammen.

»War es so schlimm?«, fragte er, doch ich schüttelte schon meinen Kopf.

»Nein, es war richtig, Papa. Denn sonst wäre das heute alles gar nicht passiert.«

»Bist du da sicher?«, hakte er nach.

»Ja, absolut sicher!«, bestätigte ich.

»Dann dank ich dir auch!«, sagte mein Vater. »Und jetzt schlaf gut, mein Sohn. Gute Nacht.«

»Gute Nacht«, murmelte ich und rollte mich in die Decke. Mein Vater knipste das Licht aus und ging durch die Tür. Er wollte sie gerade hinter sich schließen, da drehte ich mich noch einmal zu ihm zurück.

»Papa?«, fragte ich ihn.

»Ja, was ist?«, zögerte er.

»Papa, wann bist du so geworden, wie du bist?«

»Was meinst du damit?«, fragte mein Vater zurück.

»Ja, so wie du bist. Wann hast du sprechen gelernt? Ich meine, wann hast du dich getraut alles zu sagen?«

Mein Vater schaute mich ganz lange an.

»Papa, weißt du das nicht?«, fragte ich.

»Doch!«, sagte mein Vater und er ließ sich viel Zeit. »Es war heute Nacht, Maxi!«

Dann schloss er die Tür, und obwohl ich ganz müde war, war ich hellwach. Fensterkreuze huschten vor Autoscheinwerfern über die Wand und mitten im Winter, während draußen um mich herum alles gefror, wehte ein Frühlingswind durch mich hindurch und ganz tief aus meiner Seele heraus.

Die *Wilden Fußballkerle* stellen sich vor

Leon, der Slalomdribbler, Tor-jäger und Blitzpasstorvor-bereiter

Mittelstürmer

Leon ist der Anführer der *Wilden Kerle*. Er schießt Tore wie einstmals Gerd Müller oder er bereitet sie in atemberaubenden Überraschungsblitzpässen vor. Spezialität: Fall-rückzieher. Er hat vor nichts Angst und er will immer nur eins: gewinnen. Doch seine Loyalität zu den *Wilden Kerlen* und besonders zu Fabi, seinem besten Freund, ist noch stärker als sein Siegeswille.

Fabi, der schnellste Rechtsaußen der Welt

Rechtsaußen

Fabi ist Leons bester Freund. Zusammen sind sie die Goldenen Twins.

Die Sturm- und Tormaschinerie der *Wilden Fußballkerle e. W.* ist der Wildeste unter Tausend. Schlitzohrenlausbübischfrech mogelt er sich aus jeder Klemme heraus, weiß für jedes Problem eine Lösung und sein unwiderstehliches Lächeln schützt ihn dabei immer vor Strafen und Konsequenzen. Aber im Gegensatz zu Leon interessiert sich Fabi auch für andere Dinge. Er interessiert sich sogar schon für Mädchen und niemand weiß, wie lange er noch ein *Wilder Kerl* bleibt.

Marlon, die Nummer 10, die Intuition

Mittelfeldregisseur

Marlon, die Nummer 10, ist Leons ein Jahr älterer Bruder und für Leon ist er die Pest. Doch für die Mannschaft ist er das Herz, die Seele und die Intuition. Marlon spielt so unauffällig, als hätte er eine Tarnkappe auf, doch seine Übersicht ist so groß, als kreise sein Kopf wie ein Satellit über dem Feld. Ja, und auch außerhalb des Spielfeldes gibt es niemanden, der mehr Gespür für die Probleme seiner Freunde besitzt.

Raban, der Held
Ersatztorjäger

Raban spielt Fußball wie ein Blinder, der Fotograf werden will. Er besitzt noch nicht einmal einen falschen Fuß. Denn wer einen falschen Fuß haben will, der muss auch einen richtigen haben. Die besten Schüsse gelingen ihm in der Halle: über fünf Banden durch Zufall ins Tor. Trotzdem ist der Junge mit der Coca-Cola-Glas-Brille und den knallroten Locken, die so oft von seinen drei Cousinen, den drei rosa Monstern, mit Lockenwicklern verunstaltet werden, einer der wichtigsten Kerle des Teams. Seine Freundschaft und seine Loyalität sind unübertroffen.

Felix, der Wirbelwind
Linksaußen

Felix ist der perfekte Linksaußen. Er spielt seine Gegner schwindelig. Doch wenn Felix Asthma hat, dann ist er nichts. Das glaubt er zumindest, bis

er im Spiel gegen die *Bayern* seine Angst und seine Krankheit besiegt, die *Wilden Fußballkerle* mit Trikots, Logo, Satzung und echten Spielerverträgen in eine richtige Mannschaft verwandelt und dadurch selbst die Achtung von Giacomo Ribaldo gewinnt, dem brasilianischen Fußballstar der *Bayern*.

Rocce, der Zauberer
Offensives Mittelfeld

Rocce ist absolut cool.

Er zaubert den Ball dorthin, wo er ihn haben will. Er ist der Sohn eines brasilianischen Fußballstars der *Bayern*, doch obwohl er fast schon genauso gut spielt wie sein Vater, will er selbst nur in einem einzigen Team kicken: bei den *Wilden Fußballkerlen e. W.* Rocce ist Marlons bester Freund und er ist so abergläubisch, dass es kracht. Er glaubt noch an Geister und Hexen.

Jojo, der mit der Sonne tanzt
Linksaußen

Jojo kommt aus dem Waisenhaus. Dort ist er, weil seine Mutter keine Arbeit hat und weil sie zu viel trinkt. Doch obwohl Jojo noch nicht einmal Fußballschuhe besitzt und selbst im Winter in geflickten Sandalen spielt, ist der Linksaußen

für die *Wilden Kerle* ein Freund, auf den sie niemals verzichten würden.

Markus, der Unbezwingbare
Torwart

Markus ist das Gegenteil von Jojo. Er wohnt in einem riesigen Haus mit Diener und Geld. Doch obwohl er als Torwart ein Naturtalent ist, obwohl jeder, der gegen ihn trifft, für alle Zeiten im Guinnessbuch der Rekorde steht, schleicht sich Markus heimlich zum Training. Sein Vater hasst Fußball und will, dass er einmal ein Golfprofi wird.

Juli »Huckleberry« Fort Knox, die Viererkette in einer Person

Verteidigung, letzter Mann

Juli ist so gut in der Abwehr, dass seine Gegner glauben, dass er sich wirklich vervierfachen kann. Ansonsten lebt er geheimnisvoll wie Huckleberry Finn und hat das dreistöckige Baumhaus der *Wilden Kerle* gebaut. Camelot ist die Vereinszentrale und die vor Geheimwaffen strotzende *Wilde Kerle*-Burg.

Joschka, die siebte Kavallerie

Verteidigung, allerletzter Mann

Joschka ist Julis sechsjähriger Bruder. Er ist eigentlich viel zu klein für das Team. Doch zusammen mit Socke, dem Hund, ist er ganz oft der Joker, die siebte Kavallerie. Den Ball trifft er nur selten, dafür besonders dann, wenn er in der letzten Millisekunde auf der Linie rettet.

Vanessa, die Unerschrockene

Mittelfeld

Vanessa ist das wildeste Mädchen diesseits des Finsterwalds. Sie trägt selbst in der Schule Fußballklamotten, aber ihre Torschüsse sind besonders

dann unhaltbar, wenn sie ihre rosaroten Pumps trägt.

Sie will die erste Frau in der Männernational-mannschaft sein. Nach ihrem Umzug von Ham-burg nach München hat sie sich nicht nur ihren Platz bei den *Wilden Fußballkerlen* erkämpft, son-dern ist auch zusammen mit Leon und Fabi zu ihren Anführern geworden. Ja, und aus diesem Grund muss, solange es die *Wilden Kerle* gibt, die Männernationalmannschaft noch auf sie warten.

Maxi »Tippkick« Maximilian, der Mann mit dem härtesten Schuss auf der Welt
Defensives Mittelfeld

Maxi redet nicht. Selbst in der Schule oder am Telefon sagt er kein Wort. Er ist ein Mann der Tat und er besitzt den härtesten Bumms auf der Welt: den Trippel-M.-S., den Mega-Mör-ser-Monster-Schuss.

Für Maxi ist Fußball alles, doch wenn es um seine Freunde geht, dann opfert Maxi nicht nur seine Freiheit, dann nimmt er nicht nur wochenlangen Hausarrest und absolutes Fußballverbot in Kauf, sondern dann bricht er sogar sein Schweigen.

Deniz, die Lokomotive
Stürmer, und zwar überall

Deniz ist der Türke im Team. Jeden Tag fährt er durch die ganze Stadt, um bei den *Wilden Fußballkerlen* zu spielen. Bei ihnen hat er gelernt, dass er eine Brille braucht, dass er nicht allein auf sich gestellt ist und dass Freunde viel wichtiger sind als der persönliche Triumph.

Willi, der beste Trainer der Welt
Trainer

Willi lebt im Wohnwagen hinter dem Bolzplatzkiosk. Er wollte selbst einmal Fußballprofi werden, doch dann hat ihm der Vater des Dicken Michi das Knie ruiniert.

Jetzt trainiert er die *Wilden Fußballkerle*.

Er ist der beste und außergewöhnlichste Trainer der Welt und deshalb hat er für die *Wilden Kerle* den Bolzplatz zum *Teufelstopf* umgebaut. Zum Hexenkessel der Hexenkessel, dem Stadion der *Wilden Fußballkerle e.W.* Und das mit einer waschechten Baustrahler-Flutlichtanlage, die man selbst ein- und ausschalten kann!

dtv junior

Die Wilden Fußballkerle

Sei wild!

**Maxi „Tippkick"
Maximilian**
ISBN 3-8315-0345-1
€ 8,90(D)/€ 9,20(A)
sFr 16,50

Die wilden Kicker
starten bei der Hallen-
Stadtmeisterschaft!
Doch Maxi „Tipp-
kick" Maximilian ver-
liert plötzlich seinen
härtesten Schuss auf
der Welt, der für den
Sieg unerlässlich ist.
Noch schlimmer aber:
Maxi hat es auch die
Sprache verschlagen.
Da hilft nur noch
eine Schocktherapie –
die Freunde inszenie-
ren die gruseligste
Gespenster-Nacht
aller Zeiten ...

**Fabi, der schnellste
Rechtsaußen der Welt**
ISBN 3-8315-0346-X
€ 8,90(D)/€ 9,20(A)
sFr 16,50

Fabi wird von einem
Talentscout entdeckt
und vom FC Bayern
angeworben! Das An-
gebot reizt ihn sehr,
denn der neue Verein
zieht ihn magisch an.
Die anderen sind
total sauer auf ihn.
Richtig kitzlig wird
es, als die Wilden
Kerle im Endspiel der
Hallen-Stadtmeister-
schaft gegen die Bay-
ern spielen müssen.
Wird Fabi noch für
die Wilden Fußball-
kerle antreten?

**Joschka, die siebte
Kavallerie**
ISBN 3-8315-0347-8
€ 8,90 (D)/€ 9,20(A)
sFr 16,50

Joschka, der Kleinste
der Wilden Kerle, legt
sich mit den gefürch-
teten Flammenmützen
an. Die Skatergang
will die Wilden Kerle
vernichten, stiehlt
ihnen den schwar-
zen Fußball und ent-
wendet vor einem
wichtigen Spiel ihre
Trikots! Doch Willi,
der beste Trainer der
Welt, hat einen Plan.
Und nur Joschka, die
siebte Kavallerie,
kann die Wilden
Kerle retten ...

Gutes   für   Kinder

Mehr Fußballkerle-Bücher

Marlon,
die Nummer 10
ISBN 3-8315-0348-6
€ 8,90(D)/€ 9,20(A)
sFr 16,50

Jojo, der mit der
Sonne tanzt
ISBN 3-8315-0502-0
€ 8,90(D)/€ 9,20(A)
sFr 16,50

Rocce,
der Zauberer
ISBN 3-8315-0503-9
€ 8,90 (D)/€ 9,20(A)
sFr 16,50

Die Wilden Fußballkerle können sich für die Kinder-Weltmeisterschaft qualifizieren. Doch da bricht sich Marlon ein Bein und Rocce ist daran schuld. Nach seiner ‚Auszeit' ist Marlon außer Form und zieht sich zurück. Aber Rocce braucht ihn: Sein Vater, der brasilianische Profi Giacomo Ribaldo, war verletzt und soll vom FC Bayern verkauft werden. Dann müsste Rocce mitgehen.

Die Wilden Fußballkerle stehen eine Woche vor der Qualifikation zur Kinderfußball-Weltmeisterschaft und zwei Wochen vor dem alles entscheidenden Spiel um die Meisterschaft der E-Jugendmannschaften. Da wird Jojo plötzlich adoptiert. In seiner neuen Familie erlebt er jeden Tag wie Weihnachten und Geburtstag zugleich und vergisst darüber sogar die Wilden Kerle!

Die Wilden Fußballkerle sind Meister geworden und schweben im siebten Fußballhimmel. Da taucht Annika auf. Sie trainiert ganz allein im Teufelstopf und ihre Spielkunst verzaubert die Jungs. Keiner gibt es zu, aber alle träumen davon, dass Annika zu ihnen in die Mannschaft kommt. Heimlich fragt Rocce das Mädchen, ob sie bei den Wilden Kerlen mitspielen will.

w w w . b a u m h a u s - v e r l a g . d e

BAUMHAUS
VERLAG

Wilde Fußballkerle

Leon,
der Slalomdribbler
ISBN 3-8315-2066-6
€ 14,90(D)/€ 15,50(A)
sFr 27,10 [CD]
ISBN 3-8315-2067-4
€ 9,90(D)/€ 10,30(A)
sFr 18,30 [MC]

Sieben Fußballfreun-
de warten auf den
Beginn der Fußball-
saison, doch der
Dicke Michi und die
Unbesiegbaren Sieger
besetzen ihren Bolz-
platz. Aber Leon, einer
der Wilden Fußball-
kerle, schafft es, seine
Freunde zu motivie-
ren, um den Platz zu
spielen und die älte-
ren, übermächtigen
Jungs zu besiegen.
Der Platz ist gerettet.

Felix,
der Wirbelwind
ISBN 3-8315-2068-2
€ 14,90(D)/€ 15,50(A)
sFr 27,10 [CD]
ISBN 3-8315-2069-0
€ 9,90(D)/€ 10,30(A)
sFr 18,30 [MC]

Felix bekommt einen
neuen Mitschüler,
Rocce, der super
Fußball spielen kann,
und unbedingt bei
den Wilden Fußball-
kerlen spielen möch-
te. Doch dessen Vater
will, daß er bei den
Bayern spielt. Jetzt
legen die wilden Fuß-
baller los, organisie-
ren sich und fordern
schließlich die Bayern
zum Spiel heraus.
Wer gewinnt?

Vanessa,
die Unerschrockene
ISBN 3-8315-2070-4
€ 14,90(D)/€ 15,50(A)
sFr 27,10 [CD]
ISBN 3-8315-2071-2
€ 9,90(D)/€ 10,30(A)
sFr 18,30 [MC]

Vanessa trägt nur Fuß-
ballklamotten und
will die erste Frau in
der Männer-National-
mannschaft sein. Da-
her meldet sie ihr
Vater in einer Jungs-
Mannschaft zum Trai-
ning an – bei den
Wilden Fußballker-
len. Ein Mädchen in
ihrer Mannschaft! Die
Jungs boykottieren sie.
Doch in einem wich-
tigen Spiel beweist sie
es den Wilden Kerlen!

Rufus Beck, geb. 1957, der legendäre Sprecher
der Harry-Potter-Hörbücher, erzählt auch diese
Romane der Wilden Fußballkerle.

Hörbücher mit Rufus Beck

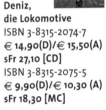

**Juli,
die Viererkette**
ISBN 3-8315-2072-0
€ 14,90(D)/€ 15,50(A)
sFr 27,10 [CD]
ISBN 3-8315-2073-9
€ 9,90(D)/€ 10,30(A)
sFr 18,30 [MC]

Überraschung! Der
Wilde-Fußballkerle-
Bolzplatz ist jetzt ein
Stadion, Trainer Willi
hat eine supertolle
Flutlichtanlage dafür
gebaut und sie spielen
ab sofort in einer
eigenen Liga! Doch
Juli fällt in die Hände
des Dicken Michis
und seiner Bande, die
ihn erpressen wollen.
In der „Schlacht um
Camelot" geht es für
die Wilden Kerle um
alles oder nichts …

**Deniz,
die Lokomotive**
ISBN 3-8315-2074-7
€ 14,90(D)/€ 15,50(A)
sFr 27,10 [CD]
ISBN 3-8315-2075-5
€ 9,90(D)/€ 10,30 (A)
sFr 18,30 [MC]

Deniz die Lokomotive
erscheint zum Probe-
training bei den Fuß-
ballkerlen. Obwohl er
klasse spielt, lehnen
Fabi und Leon ihn ab
und verlassen lieber
die Mannschaft. Aber
so wenig die Wilden
Kerle ohne ihre An-
führer sind, so wenig
sind Leon und Fabi
ohne ihr Team. Und
eine wirklich gute
Mannschaft kann
durch einen Neuzu-
gang stärker werden!

**Raban,
der Held**
ISBN 3-8315-2076-3
€ 14,90(D)/€ 15,50(A)
sFr 27,10 [CD]
ISBN 3-8315-2077-1
€ 9,90(D)/€ 10,30 (A)
sFr 18,30 [MC]

Um das Fußballorakel
zu befragen, schleicht
Raban sich in der Sil-
vesternacht ins Sta-
dion. Dort tauchen
plötzlich auch die
anderen Wilden Fuß-
ballkerle auf und die
größten Fußballspie-
ler, die es je gab, for-
dern sie zum Spiel he-
raus! Wem der Jungs
wird der Orakelspruch
über die Zukunft
ihrer Mannschaft
verkündet – und wie
wird er lauten?

Das Handbuch

Sei wild! Gefährlich und wild!

Joachim Masannek

DAS WILDE FUSSBALL BUCH

Tipps ... Tricks ... Training ...Wilde Sprüche

**Das Wilde Fußball-Buch
Tipps – Tricks –
Training –
Wilde Sprüche**
ISBN: 3-8315-0500-4
€ 12,90 (D)/€ 13,30 (A)
sFr 22,60

So wirst du ein Wilder Fußballkerl: Von der notwendigen Vereinssatzung über Beispiele für die unabdingbare Mutprobe bis hin zum Wilde Kerle-Wörterbuch und echten Trainingstipps finden Fans alles in diesem Buch! Inklusive Piratenschatzkarten-Spielervertrag und Blanko-Satzung.

Gutes für Kinder

Das Buch zum Film

**Im Wilde-Fußball-kerle-Land
Das große Film-abenteuer**
ISBN: 3-8315-0349-4
€ 14,90 (D)
€ 15,40 (A)
sFr 25,80

Joachim Masannek
schildert die Entste-
hung des Kinofilms
aus Sicht der unter-
schiedlichen Wilden
Fußballkerle wie
einen Abenteuer-
roman. Dazu gibt's
Aufnahmen vom
Filmset, Szenen-
fotos und Skizzen
der Drehorte.

Die Wilden Kerle
Das Original-Hörspiel zum Kinofilm
ISBN 3-8315-2100-X
€ 9,90 (D)/€ 10,30 (A)/sFr 18,30 [CD]
ISBN 3-8315-2101-8
€ 7,90 (D)/€ 8,20 (A)/sFr 14,80 [MC]

Das Hörspiel zum Kinofilm – mit
den Originaldialogen aus dem
Film, erzählt von Raban, dem
Helden. Weitere Stimmen: Uwe
Ochsenknecht, Rufus Beck, Cor-
nelia Froboess und viele andere.

www.baumhaus-verlag.de